Omslag & Binnenwerk: Buronazessen - concept & vormgeving

Drukwerk: Ten Brink, Meppel

ISBN 978-90-8660-207-0

Postbus 30227
6803 AE Arnhem
www.ellessy.nl

Marjan van Marle

HOGEROP

MODERNE FAMILIEROMAN

ELLESSY
RELAX

Gisteren is een droom en morgen een visioen van hoop

Door een tragisch ongeval hebben wij afscheid
moeten nemen van mijn stoere,
zorgzame man en onze lieve,
altijd zo betrokken papa

Ferd Donkervoort

Frederik Johannes Rudolf

Huisarts

Echtgenoot van Cathrien Donkervoort-Crux

* Groningen, 9 februari 1950
† Broekerwaard (NH), 1 maart 2008

Cathrien Donkervoort
Iris en Marc
Roos
Pieter

Koetjeslaan 3 | 2931 AB Broekerwaard

De plechtige uitvaartdienst zal plaatsvinden op 8 maart a.s. om 11.30 uur in de Petruskerk, Emmastraat 3 in Broekerwaard. Aansluitend zullen wij Ferd in besloten kring begraven.

Ferd hield van voorjaarsbloemen

Die Menschen sind nicht immer was sie scheinen;
doch selten etwas besseres

HOOFDSTUK 1

The morning after the night before (I)

Het was een mooie en zonnige zondagochtend geweest, ergens half augustus. Nog volop zomer. Hoewel... Het shocking pink van de hortensia's in de tuin van de Donkervoort's was niet meer zo uitbundig als een paar weken eerder en ook de paarse exemplaren hadden aan kleur ingeboet. Zelfs het wit van de Annabella's waarin een groene ondertoon doorschemerde begon hier en daar al bruinig te worden...
Maar dat had Cathrien (Cathy voor intimi) niet gezien. Want ondanks de grote zonnebril die ze droeg, had ze haar ogen dicht terwijl ze op een van de hardhouten ligbedden op het met donker graniet betegelde terras, contrasteerde mooi met de witgepleisterde villa, lag bij te komen van the night before.
Eigenlijk was alles haar op dat moment te veel geweest. Nou ja, zo ongeveer dan. Van de zon kreeg ze nog meer hoofdpijn dan ze al had. En dan die vragen van Ferd. Of hij de parasol voor haar zou opzetten dan kon ze lekker in de schaduw liggen. (Alsof zij dat niet wist.) Nog meer vragen...
"Zal ik koffie voor je zetten...? Of wil je iets anders. Thee, water, jus?"
"Rust" had ze willen zeggen, maar ze zei het niet.
In zijn stem had iets van ongerustheid doorgeklonken. Een ze-

kere bezorgdheid. En dat had haar vaag – zo was het toen nog – geërgerd.
"Zal ik wat te eten voor je maken, een uitsmijter of zo… dat helpt als je een kater hebt."
Kater? Hij moest eens weten hoe ze zich voelde. Brak. Dat was het juiste woord. Het herinnerde haar aan lang geleden… Aan vakanties met vriendinnen aan de Spaanse costa's. Tot diep in de nacht in de disco. Dansen, drinken, dansen…wijn, Cuba libre, tequila sunrise mèt ijs, wijn. En je 's ochtends zo brak voelen, (Cathrien herinnerde het zich weer alsof het niet een eeuwigheid geleden was maar pas gisteren) dat je maar één ding kon èn wilde: liggen op het strand en met rust worden gelaten. En passant, ook dat was ze niet vergeten en was toentertijd trouwens mooi meegenomen geweest, werd ze dan ook nog eens bruin en niet rood zoals haar vriendinnen. Bovendien was iedere keer weer de alcohol sneller verdampt dan ze had verwacht, zodat 's avonds het hele circus opnieuw kon beginnen. Weer de disco, weer… Hoe hadden ze ook al weer geheten? God, ze wist het nog. Ze had iets met ene Jean-Paul gehad, een jongen uit Toulouse terwijl ze drie woorden Frans sprak. En dan was er, en dat allemaal in één vakantie, een zekere Philippe geweest. Kwam ook uit het zuiden, ergens uit de buurt van Narbonne. Oh ja en er was nog een Helmut. Een Duitser. Een blonde halfgod uit Berlijn. West-Berlijn… Ja, want destijds stond de muur er nog. Het was ver voor *Die Wende*. Zo lang geleden allemaal. Die jongens van toen moesten nu vijftigers zijn. Net als Ferd. Zo ongeveer dan.
Als ze op die zon overgoten zondagochtend nog steeds ligt bij te komen in de tuin, maar inmiddels wel, dankzij Ferd, in de

schaduw van een oversized parasol, voelt ze hoe langzaam maar zeker de hoofdpijn wegtrekt. Terwijl ze vanachter haar zonnebril voorzichtig één oog opendoet, ontwaart ze niet alleen een stukje hemelblauw maar snuift ze tegelijkertijd de geur van pas gemaaid gras op, ze snuift nog dieper…

Oh ja, realiseert ze zich ineens. Ferd was gistermiddag nog druk in de weer geweest in de tuin. Hij had het gazon flink onder handen genomen. Een hele klus overigens. De tuin is een voormalig bosperceel waardoor er snel mos ontstaat in het gras, bovendien is het arme grond. Met maaien alleen kom je er niet. Het gazon moet ook bemest worden, belucht, geverticuteerd, en het onkruid, dat als het de kans krijgt welig tiert, verdelgd. Ferd, hij was niet voor niets de kleinzoon van een Groningse boer, had zich wat je noemt in het zweet gewerkt. Ook de buxushagen rond de kruidentuintjes met daarin geurige salie, tijm, laurier, peterselie en wilde marjolein (de basilicum stond apart in potten) had hij vakkundig gesnoeid. Hij had bamboestokken in de aarde gestoken om de Annabella's die onder hun bloemenvracht dreigden te bezwijken te ondersteunen.

Cathrien was intussen met zichzelf bezig geweest. Eerst ter ontspanning in bad (het beloofde een spannende avond te worden, zeker voor haar) om vervolgens in twijfel voor haar kast te staan. Wat moest ze aan…?

Nee, niet dat wit linnen jurkje met die koperen knopen en afgezet met een korenblauw biesje. Nee, dat kon echt niet. Niet op de opening van haar eerste, officiële expositie, vond ze. Hoe mooi, elegant, chic etc. Ferd het haar ook vond staan. Dat was meer iets voor haar rol als vrouw-van. (Hoe lang zou ze die rol trouwens

nog – willen –vervullen, was het weer heel even, zoals de laatste tijd wel vaker gebeurde, door haar heen gegaan.)
Ze had die jurk dan ook aan gehad op de feestavond van het jaarlijkse symposium van huisartsen in de regio. Het symposium waar Ferd en veel van zijn collegae en hún partners reikhalzend naar uitkeken (begrijpelijk want zo spannend was het huisartsenbestaan ook niet meer, wist Cathrien van nabij) werd iedere keer 'ergens' in Europa op een mooie locatie nabij een grote stad gehouden. Vorig jaar was het in de buurt van Rome geweest. Het jaar daarvoor bij Praag. Volgend jaar zou het in Wenen zijn.
Terwijl Cathrien voor de spiegel nog steeds in dubio stond over wat ze aan moest – iets 'artistieks', dàt in ieder geval - waren haar gedachten onwillekeurig teruggegaan naar die dagen in Florence. Nou ja, Florence… de locatie waar de tot OverIJSE dagen benoemde conferentie werd gehouden (het waren met name huisartsen die praktiseerden aan de 'overkant van het IJ' en verder de polders en Noord-Holland in die eraan deelnamen, vandaar) lag in Scarperia, een stadje dat, niet alleen bij de grootste cuisiniers der aarde bekend is om zijn voortreffelijke koksmessen maar dat ook ruim een uur rijden van Florence ligt. Dankzij het creatieve kaartlezen van de Italiaanse buschauffeur hadden zij er een dikke twee uur over gedaan.
Hoewel de meerderheid van het gezelschap deze organisatorische tegenvaller voor lief had genomen en er zelfs een positieve draai aan had weten te geven – zo zie je tenminste nog iets van Toscane – had het de stemming van Cathrien die toch al niet best was nóg verder doen dalen. Niet dat het een buitenstaander zou zijn opvallen. Dat niet, maar Ferd zag het wel, zoals hij wel meer zag wat

hij liever niet wilde zien...
Inwendig vervloekte hij zichzelf dat hij had doorgezet om tóch te gaan. Ze hadden beter thuis kunnen blijven. Want dat Cathrien zo de pest in had, wist Ferd, kwam echt niet alleen door dat uurtje extra dwalen door de Toscaanse heuvels.
Ze had überhaupt geen zin gehad in dat hele reisje. Vroeger, toen de kinderen nog klein waren, had ze het misschien wel aardig gevonden om er even 'samen' uit te zijn. Te genieten van de luxe van een vijfsterren resort, maar nu niet meer. Allang niet meer. Ze had wel wat beters te doen... En dat had ze Ferd ook laten weten.
"Over twee maanden heb ik de opening van mijn expositie, ik moet gewoon keihard werken... Ik bedoel maar..."
Hij had teleurgesteld gekeken. Had er, zoals de laatste tijd wel vaker het geval was, bij gestaan als een geslagen hond. Bijna zoals Boebie, hun zevenjarige labrador wanneer die druipend van het water en onder de modder omdat hij weer eens in een plas was gaan rollen, met een smekende blik voor de keukendeur zat of hij toch als-je- blieft naar binnen mocht... Maar Boebie was een hond, geen vent zoals Ferd.
"Alsjeblieft Cathrien... je hebt zo'n moordend tempo, zo'n productie dat je over twee maanden met gemak drie exposities kunt vullen..."
Ja, dat wist ze ook wel en dat was ook wat ze wilde... Wat had zij met die collega-huisartsen van doen. Met fractuurfrequentie bij osteoporose, met urineweginfecties bij kinderen, met verwijsindicaties, met behandelingen, vervolgbehandelingen, met depressieve stoornissen want dat stond er allemaal voor de huisartsen

op het programma. In het kader van hun bijscholing die, zo vond men, met het aangename verenigd moest worden.
Ondertussen zouden de partners m/v gedurende die tijd bezig-gehouden worden met een bezoek aan de Duomo in Florence, een rondleiding krijgen in het Palazzo Vecchio, gaan lunchen in een trattoria aan de Arno en een leerzaam kijkje nemen bij een producent van biologische olijfolie. Voor de liefhebbers was er dan nog een golfwedstrijd. En als afsluiting voor het hele gezelschap was er een cultureel verantwoord hoogtepuntje van klassiek niveau gepland. Omdat niet iedereen van opera houdt, zoals een collega-huisarts die in de organisatie zat zijn gehoor tijdens de busrit naar Scarperia had voorgehouden, en waar Puccini toch wel een stevige jongen is, stond er een grootste presentatie van een selectie uit La Bohème op het programma...
"We zijn maar vijf dagen weg..." had Ferd aangehouden. "Bovendien heb ik ook al betaald en als we nu afhaken krijgen we dat geld niet terug..."
Dat laatste, zo wist Cathrien, was voor Ferd een zwaarwegend argument geweest. Als hij alleen zou gaan en zij bleef thuis was hij maar een kwart van de reissom kwijt. Dan was in ieder geval de schade beperkt.
Maar in zijn eentje (deed-ie dat maar eens), zou hij niet gaan, dat wist Cathrien ook.
"Cathy..." hij had haar hoopvol aangekeken.
Het idee dat als ze niet zouden gaan (in dit gezelschap van huisartsen kon je moeilijk met een 'eigen' doktersattest aankomen dat je vanwege je rug niet mocht vliegen), ze naar hun geld konden fluiten, was voor Cathrien doorslaggevend geweest.

“Als het niet anders kan…” , had ze pathetisch gezucht.
“Dus je gaat mee…” had Ferd daaruit hoopvol geconcludeerd.
En achteraf gezien was dat eigenlijk helemaal geen verkeerde beslissing geweest. Niet alleen omdat het Ferd even de illusie had gegeven dat hij er nog – een beetje - toedeed maar vooral omdat het voor haar buitengewoon interessant was geweest.
Commercieel dan.

Go where the glory waits thee, But while fame elates thee,
Oh! remember me

HOOFDSTUK 2

The evening

"Je debuut in de kunstwereld is weergaloos," had Arthur Bronstein, directeur-eigenaar van THE AMERICAN GALLERY, haar toegefluisterd.
"Chin, chin dear" had hij gelispeld terwijl hij met haar klonk en intussen zijn verblindend witte jackets bloot lachte.
"Op óns succes..." . Cathrien had opnieuw haar glas prosecco omhoog gebracht om met Bronstein te klinken. Dat Ferd die in haar blikveld stond met een glaasje Spa rood hetzelfde deed was haar ontgaan. Hij had er wat verloren bijgestaan, zich wellicht getroost met de gedachte dat die Bronstein toch maar een homo was, en was zichtbaar opgelucht geweest toen hij werd aangesproken door een middelbaar echtpaar dat eigenlijk het woord tot Cathrien had willen richten...
"Geweldig wat ze maakt, dat hang ik zo op..." hoorde Ferd de vrouw enigszins geëxalteerd zeggen.
"Nou," zei de man, "ze heeft me weten over te halen. Weliswaar met de smoes dat ze over een half jaar jarig is en dat ze dan helemaal niets meer hoeft te hebben..."
Natuurlijk, die stem van hem met dat wat belegen, corporale timbre, die licht hysterische toonzetting van haar... Wat stom dat hij hen niet eerder herkend had. Collega Janssen met zijn vrouw. Niet

‘zomaar’ een collega, maar een die ook had deelgenomen aan de OverIJSE dagen.
Tilly, de vrouw van collega Janssen, wees met een priemende vinger ergens achter Ferd.
“Kijk daar hangt-ie, mijn verjaardagscadeau…” Terwijl hij zijn hoofd draaide, hoorde hij collega Janssen nijdig tegen zijn vrouw zeggen of ze dat niet eens zou kunnen afleren…
“Dat wijzen van jou…”
Maar ze leek zich van die opmerking weinig aan te trekken. Integendeel. Ze wees nogmaals en zelfs heftiger dan die eerste keer richting het schilderij.
‘Red socks & yellow nails’ zo heet het. Om er direct aan toe te voegen dat ze het schilderij dat er naast hing ‘White wine and blues’ en dat inmiddels eveneens van een rode sticker was voorzien, ook heel erg te gek vond…
“Het was echt moeilijk kiezen hoor…” was ze verder gegaan, “maar ik heb in ieder geval de buit binnen want als we nog even hadden gewacht was het m’n neus voorbij gegaan… Moet je eens kijken Peet,” en haar vinger fungeerde, tot zichtbare ergernis van haar echtgenoot, opnieuw als aanwijsstok, “alles is bijna al verkocht. Dat is toch ongelooflijk, echt ongelooflijk.”
En dat kon haar echtgenoot alleen maar beamen want binnensmonds mompelde hij woorden van gelijke strekking.
“Weet je,” ging Tilly Janssen verder terwijl ze zich nu tot Ferd wendde, “als we jullie niet in Florence hadden ontmoet, dan had ik nooit geweten dat Cathrien schildert. Het kwam eigenlijk heel toevallig ter sprake. Ik had het over het vrijwilligerswerk dat ik doe, ik heb dan geen betaalde baan, maar ik vind wel dat je je

nuttig moet maken in de maatschappij…”
“Sorry, ik verstond je even niet…” Ferd had zich iets naar voren gebogen om haar beter te kunnen horen want het was inmiddels zo druk geworden dat Til nauwelijks boven het geroezemoes uitkwam. Maar dat was, vreesde Ferd niet de enige reden dat hij haar niet goed had verstaan. Cathy had hem er de afgelopen tijd vaker op gewezen dat een gehoorapparaat geen overbodige luxe zou zijn.
Terwijl Peet nog een pilsje nam van het serveerblad dat langs kwam en Til zich opnieuw een prosecco had laten inschenken, hoorde Ferd die met een leeg glas Spa in zijn hand stond, haar nu overdreven a r t i c u l e r e n d zeggen dat ze dat nou zo sympathiek van Cathrien had gevonden.
“Toen we daar zaten te lunchen in dat tentje aan de Arno schreef ze mijn naam op een servetje en zei: ik nodig je uit voor de opening van mijn expositie. Gewoon heel spontaan. Hoe vaak kom je dat nog tegen dat mensen je iets beloven en het ook inderdaad doen…?”
Hij had bevestigend geknikt, en intussen met een schuin oog Cathrien, in flamboyante gipsylook, in de gaten gehouden. Cathy, die op dat moment overdreven hartelijk omhelsd werd door een man die eruit zag als een Oostenrijkse skileraar. M ij n v r o u w h a n g t o m z i j n n e k a l s e e n v e r l i e f d e p u b e r was het even door Ferd heen gegaan, maar die gedachte had hij onmiddellijk weer verdrongen door zichzelf wijs te maken dat ze toch moest kunnen genieten van háár succes - . Bovendien had hij, min of meer op hetzelfde moment, geconstateerd dat Tilly en Peet niet de enige bekende gezichten waren op deze druk bezochte vernis-

sage. Hij zag Lia en Henk Schenk uit Middenbeemster, Hermine Kloosterboer en haar vriendin, het onlangs getrouwde echtpaar Koning, ze hadden een duopraktijk in Broek in Waterland. Hij zag Bart en Annechien de Graaf, de familie Dijkman, Janneke de Wit en haar partner (een fysiotherapeut), de Veermannen (hij bijna gepensioneerd, zij dol op schoenen), de Boutsen (allebei huisarts, zij homeopathisch), hij zag de Bottema's, de Deckertjes en nog een aantal van wie hij niet onmiddellijk op de naam kon komen maar die hij wel kende uit Florence. Kortom het leek wel op een reünie van de OverIJSE dagen.
En terwijl hij in navolging van Peet ook maar een pilsje had genomen en schijnbaar ontspannen stond te keuvelen met de Janssens, besefte Ferd dat er hier in THE AMERICAN GALLERY van die verdomde Bronstein iets op gang was gebracht dat niet meer te stuiten was... Iets dat hij niet wilde, en zij alleen maar...
"Dit hebben we nog niet eerder meegemaakt... en dat wil wat zeggen, hoor," had Susan Taylor Smith , de assistente van Bronstein zijn gedachtestroom onderbroken.
"Inderdaad," antwoordde Ferd hypocriet en plichtmatig, "het is geweldig, maar dat haar expositie zo'n succes zou zijn, nee dat had ik niet verwacht."
"Maar Arthur wel hoor...dat is ook zijn grote kracht," had Susan die hij ineens vond lijken op de Barbiepoppen waarmee zijn dochters vroeger speelden, hem onmiddellijk van repliek gediend.
"We krijgen zoveel kunstenaars die niets liever willen dan bij ons exposeren..." ze had nu even haar stem laten dalen waarin een Gooische 'R' doorklonk en vaag iets Amerikaans, "en hun werk is lang niet altijd slecht maar het is niet 'Waaauuww'... Het

is niet vernieuwend, nauwelijks origineel of, ook heel belangrijk, niet toegankelijk. Een Francis Bacon willen de meesten toch ook niet in hun kamer ophangen…"

Ferd had willen zeggen dat hij maar een simpele huisarts was, niets van kunst wist, hooguit een beetje van tuinieren, maar Susan was hem voor geweest.

"Grapje hoor", hoorde hij haar zeggen waarop de Janssens tegelijkertijd begonnen te lachen, ten teken, zo veronderstelde Ferd, dat ze het allebei begrepen hadden.

"Ik wil alleen maar zeggen," was ze verder gegaan zonder acht te slaan op de Janssens, "dat Arthur als geen ander aanvoelt wat het goed doet in de kunstwereld. Noem het *Fingerspitzengefühl*, noem het…" ze zocht naar een woord maar ze kon het niet vinden.

"Talent…" suggereerde Ferd.

Ze ging er niet op in maar liet weten dat als Bronstein eenmaal voor het werk van een bepaalde kunstenaar had gekozen, je er vergif op kon innemen dat het een succes werd.

"Hij loopt voor de trendsetters uit, weet zijn doelgroep te bereiken… THE AMERICAN GALLERY is, ja, hoe noem je dat, ook een geweldig marketingconcept..." Ferd voelde aan dat deze levensgrote Barbie met haar blauwe poppenogen naar een climax toewerkte.

"Over twee maanden opent hij", klonk het haast hijgerig "een vestiging van THE AMERICAN GALLERY in New York.

I n t h e m e a t p a c k d i s t r i c t…

"Ik moet nu zeker van mijn stoel vallen, als ik erop had gezeten," had Ferd willen zeggen. Maar hij deed het niet, misschien wel

omdat Susan er onmiddellijk op had laten volgen dat dit toch voor Cathrien een geweldige kans was…
"Geweldige kans…" de woorden dreunden na in zijn hoofd. Niks geweldige kans dit was…
Hij zocht naar de juiste woorden, kon ze niet vinden en toen hij ze had gevonden, begreep hij dat hij ze niet kon zeggen. Zeker niet tegen haar.
Daarom voelde hij zich zo opgelucht toen hij hen zag. Zijn kinderen.
"Sorry, hoor," hij maakte zich los uit zijn door de Janssens gadegeslagen tête a tête en baande zich een weg door de toostende en kwakende bewonderaars rond zijn vrouw. Dat hij daarbij zo heftig tegen het alweer volle glas van de Oostenrijkse skileraar stootte (of wat daar voor door mocht gaan), dat het gelijk weer leeg was, deerde hem niet.
Roos, met Iris en Pieter in haar kielzog, had hem al gezien. Ze zwaaide.
"Dat in ieder geval nog wel ", was het heel even door hem heen gegaan.

No other but a woman's reason

HOOFDSTUK 3

The night

Ze had te veel gedronken en het was veel te laat geworden. Maar het was de moeite waard geweest. Meer dan dat zelfs. Arthur Bronstein had tijdens de 'nazit' – mèt champagne want dit was voor intimi en daarom géén prosecco - haar eerste echte expositie een weergaloos succes genoemd.
"Jesus, alles verkocht… ze staan in de rij voor je meid. Als je wilt kun je zo weer aan de slag. Unbelievable! Ik heb hier een hele lijst van mensen die net te laat waren om een doek van je te kopen omdat het uitverkocht was, maar er toch per se een van je willen hebben… Zoals…"
Ferd had Cathrien net op dat moment een bordje aangereikt met daarop toastjes zalm, gevulde kwarteleitjes, en twee gekraakte oesters terwijl hij haar voor de anderen nauwelijks hoorbaar toefluisterde dat ze toch echt wat moest eten…
Ze had het een irritante geste gevonden en gedaan alsof ze hem niet hoorde om vervolgens het bordje ergens naast zich neer te zetten om zich weer tot Bronstein te richten.
"Wie dan…?" had ze gretig gevraagd.
"Susan kun je me even dat lijstje geven…"
Terwijl Bronstein met bestudeerde nonchalance naar de namen erop keek, bekroop Ferd het onaangename gevoel, zoals ook al eerder die dag, buiten spel gezet te zijn.

Het was dat zijn kinderen, die zich overigens wel te goed deden aan de zilte delicatessen er waren, maar anders … Zonder hen, zo wist hij, had hij zich echt een vreemde eend in de bijt gevoeld. Of erger een *'Fremdkörper'*...
'Jouw Darling daddy' , was Bronstein verder gegaan , "heeft zoveel aftrek gevonden dat ik zeker vier gegadigden heb die net zoiets willen hebben. En één stel, de Van de Werff's je weet wel van dat bouwbedrijf uit Monnickendam met het verzoek of het niet nóg groter kan…"
Hoe noemen jullie dat ook alweer op z'n Hollands grapte Arthur met zijn aangedikte, want dat deed het goed in deze business, Amerikaanse accent:
"Wie het breed heeft, laat het breed hangen…"

I awoke one morning and found myself famous

HOOFDSTUK 4

Dromen

Hoe ze thuisgekomen was, kon ze zich niet meer herinneren. In ieder geval wel samen. Ferd had gereden. Zoals meestal. Twee pilsjes en een liter Spa… Hij nam zijn verantwoordelijkheden serieus. Niet met drank op achter het stuur. Die boodschap had hij ook zijn dochters en zoon mee gegeven. Bij Cathrien was die boodschap niet helemaal binnengekomen.

"Je kunt ook overdrijven," had ze in het verleden vaak genoeg tegen hem gezegd, "ik ben echt niet dronken na twee glazen wijn en kan heus nog wel autorijden…"

Hij zei het niet want hij hield niet van ruzie, maar wist dat ze het zelden hield op twee glazen. Dus stond hij erop dat hij haar ophaalde als ze met vriendinnen uitging, en dat deed ze vroeger toen de kinderen klein waren, ze nog niet schilderde en vooral huisvrouw en moeder was geregeld.

"Ideaal zo'n man," of iets dergelijks was vaak het commentaar daarop.

Nee, de echtgenoten van haar vriendinnen zagen er geen brood in om de rol van particulier chauffeur te spelen.

"Je moet echt niet denken dat Dick zijn voetbalwedstrijd onderbreekt om mij uit La Dolce Vita (indertijd hun favoriete Italiaanse restaurant) te plukken," had Pia meesmuilend gezegd toen ze daar weer eens een vriendinnenetentje hadden tijdens een finale

van The Champions League.
“Ach, dan zet Ferd jullie toch ook even af,” besloot Cathrien dan meestal voor hem.
Hoewel Cathrien zich niet kon herinneren hoe ze na die opening van haar eerste expositie thuisgekomen was, herinnerde ze zich wel dat Ferd zich in bed tegen haar had aangevlijd, haar hand had gepakt en die om zijn groeiende mannelijkheid had gelegd.
“Alsjeblieft Cathy” had hij hees gefluisterd.
“Moet dat nou,” had ze hem geantwoord terwijl het koude maanlicht door de kierende gordijnen hun bed bescheen.
“Cathy…”,
“Ik ben moe,” had ze gezegd, “bovendien,” en dat sloeg helemaal nergens op maar het had wel geholpen “komen morgen ook de kinderen eten. Ga toch lekker slapen…”
Ze had gevoeld hoe in haar hand zijn lid verslapte, hoe hij zich had omgedraaid en vervolgens naar het uiterste randje van hun king size bed was geschoven. Even later hoorde ze hem zachtjes snurken en wist ze dat hij in slaap was.
“Eindelijk…” was het even door haar heen gegaan. Ze wilde nog even ongestoord proeven van de smaak van het succes … Dromen van een toekomst met zichzelf als stralend middelpunt.
Er stonden interviews op het programma in spraakmakende bladen. De komende week twee interviews, de week daarop nog één…
“Wat doet in hemelsnaam een skileraar op zo’n vernissage?” had Ferd haar enigszins spottend maar toch wat onzeker toegefluisterd tijdens de ‘nazit’.
“Dat is geen skileraar, maar Daniël Brückner, dé sterreporter van

de MARIE-BELLE," had ze hem weliswaar geërgerd maar toch op fluistertoon laten weten. "Volgende week heb ik een afspraak met hem..."
Terwijl het gesnurk van Ferd in volume toenam, en niet alleen dát zou een goede reden zijn om voortaan de logeerkamer op te zoeken, liet ze de afgelopen avond opnieuw de revue passeren en hoorde ze weer de woorden van Bronstein.
"Jesus, unbelievable veertig doeken verkocht in no-time."

Zij deed de creatie: acryl op linnen. Hij de marketing: betaalbare kunst voor *babyboomers*. De doeken van 100 x 160 cm, een meerderheid op de expositie, gingen voor 5000 euro weg. De grotere exemplaren zoals *'En straks...champagne'* en *'For your eyes only'* voor 7000, een kleinere Donkervoort kostte slechts 4000 euro.
Hoewel haar hoofd bonsde , was ze helder genoeg geweest om uit te rekenen dat de hele expositie ruim twee ton had opgebracht. Dat was beduidend meer dan wat het geploeter van Ferd in een heel jaar opleverde. Goed, veertig procent moest ze afstaan aan Bronstein, er moest belasting betaald worden, maar dan nog...
Bronstein had haar gezegd, en het had haar als muziek in de oren geklonken, dat het prijsniveau van populaire kunst in New York hoger lag. Het kunstminnende publiek was daar in het algemeen bereid om meer te betalen... Sterker nog: te laag geprijsde kunst werkte tegen je...
Zouden haar schilderijen daar het twee-, het drievoudige opbrengen...? Nog meer...? Het waren haar laatste gedachten geweest

voordat ze in een rusteloze slaap viel waaruit ze zes uur later met een knallende koppijn wakker werd.

"Ich weiss nicht, was soll es bedeuten,
dass ich so traurig bin"...

HOOFDSTUK 5

The day after the night before (2)

Terwijl Ferd in de keuken bezig was met de in blokjes gesneden en in Japanse sojasaus gemarineerde kipfilets aan satéstokjes te rijgen, was Cathrien opgestaan van het ligbed onder de parasol. Hoofdpijn had ze niet meer. Ook had ze inmiddels lang genoeg gelegen, vond ze. Bovendien had ze trek. Nou ja, zeg maar gerust honger.

Ze had spijt dat ze het eerdere aanbod van Ferd om een uitsmijter voor haar te bakken of iets anders te maken – een broodje kroket want daar had ze het meest zin – had afgeslagen. Maar daarvoor was het nu te laat.

Ferd was druk doende met de voorbereidingen voor de barbecue van vanavond. Niet het moment om hem ook nog eens met andere culinaire taken te belasten. Zoals het bakken van een ei, het frituren van een kroket.

Door de openstaande keukendeuren zag ze vanaf het terras hoe hij de schaal met satéstokjes zorgvuldig met plasticfolie afdekte, in de ijskast schoof om daar vervolgens een groot, gesealed pakket uit te halen.

"Wat zou daar nou weer inzitten...?" had ze zich afgevraagd terwijl ze haar hand over haar mond had gelegd om een geeuw te onderdrukken. Met de inkoop voor de barbecue had ze zich niet

bezig gehouden. Niet dat ze het niet leuk vond dat de kinderen plus aanhang vanavond zouden komen barbecueën, integendeel, maar ze had wel wat beters te doen gehad, zoals haar expositie, dan zich bezighouden met de organisatie ervan.
Voor Ferd was het geen punt geweest. Sinds een tijdje werkte hij niet meer op vrijdagmiddag. Was de praktijk gesloten. Dus had hij de boodschappen voor het weekend gedaan.
Terwijl Cathrien nog steeds op de drempel van keuken en terras stond, keek ze toe hoe hij, na eerst z'n handen onder de kraan te hebben afgespoeld, ja daar was-ie nogal precies in, het pakket openknipte. Omdat hij met zijn rug naar haar toestond, kon ze net niet zien wat er in zat. Maar toen hij een stap opzij zette om een mes uit het houten messenblok te pakken, zag ze het: op de snijplank lag een grote zalm. In de namiddagzon die door het raam naar binnenviel, glansden zijn zilveren schubben. Ondanks zichzelf, ze was op weg naar boven geweest naar de badkamer om zich te douchen en te verkleden, was ze op de drempel blijven staan. Ferd had zich intussen omgedraaid en de snijplank met daarop de zalm op het werkblok gelegd zodat zij ongevraagd zicht had op waar hij mee bezig was. Ze zag hoe hij de vis ontschubde. Hij ging daarbij zo in zijn werk op, dat hij niet in de gaten had dat hij werd gadegeslagen door Cathrien. Gebiologeerd keek ze toe hoe hij het aanzetstaal in zijn linkerhand nam en het in Scarperia gekochte mes in zijn rechter en het eraan beide kanten van het snijvlak een paar keer overheen haalde.
Geroutineerd had hij vervolgens met het vlijmscherpe mes de vis vanaf de kop langs één kant van de ruggengraat over de hele lengte licht ingesneden om daarna weer terug te gaan naar de

kant waar de kop zat en de filet langzaam van de graat los te snijden.
Hoewel ze had willen zeggen dat het toch jammer was dat hij geen chirurg was geworden, zoals hij ooit had gewild, maar huisarts, had ze maar haar mond gehouden en was zwijgend blijven toekijken.
Toen Ferd de staart van de zalm naderde, stak hij het hele lemmet onder de filet, legde zijn andere hand op de vis en sneed het laatste stuk er in één snelle beweging af. Toen draaide hij de vis om, om aan de andere kant hetzelfde te doen.
"Ferd," hij was zo geconcentreerd bezig dat hij haar niet had gehoord, "Ferd," klonk het luider.
"Sorry wat zei je…?" Hij had verschrikt opgekeken misschien wel omdat hij bang was dat ze weer zou gaan zeuren dat hij aan een gehoorapparaat moest. … Maar dat deed ze niet.
Wat ze hem te melden had, was niks bijzonders. Gewoon dat ze naar boven ging om zich op te frissen, iets anders aan te trekken. Daarna zou ze de grote tuintafel op het terras dekken. De waxinelichtjes, dat stond altijd wel gezellig, aansteken.
"En misschien vast ook de stralers op het terras…?" had ze hem gevraagd.
"Dat kan nog even wachten," had hij geantwoord, "het is nog zo zacht buiten..."
Toen ze langs hem heen glipte op weg naar boven, had ze in het voorbij gaan nog een olijf in haar mond gestoken en een handje cashewnootjes genomen uit de schaaltjes die Ferd alvast voor de borrel had gevuld en neergezet.
"Dus je voelt je weer goed…? "

"Ja hoor," had ze geroepen terwijl ze al op de trap naar boven stond. Waarna Ferd schijnbaar opgelucht met een pincet de graten uit de zalm verwijderde om hem daarna in mooie, gelijke filets te snijden.
Nog met zijn bril op het puntje van zijn neus, het verwijderen van de graten was iedere keer weer een secuur werkje, bestreek hij de filets met een mengsel van olijfolie en citroen, bestrooide ze met grof zeezout en versgemalen peper om er daarna mooie pakketjes van te maken door ze als een toffee in aluminiumfolie te verpakken.
Saumon en papillote... Terwijl hij de schaal met de pakketjes de ijskast in schoof, zag hij op zijn horloge, dat hij nog twee uur de tijd had voor de kinderen er zouden zijn. Niet veel maar net genoeg om van de door hem eigenhandig gekruide en gedraaide ballen gehakt platte hamburgers te maken, de in de magnetron voorgepofte aardappels in zilverpapier te verpakken, de stokbroden af te bakken, en de verschillende dressings voor de salades voor te bereiden. Kloppen, proeven, nog een beetje mosterd, wat zout, scheutje olijfolie...
In de keuken voelde Ferd, wie had dat ooit kunnen denken, hijzelf zeker niet, zich steeds beter in zijn element. Ooit was de keuken het exclusieve terrein van Cathrien.
"Alsjeblieft, ik doe het tien keer zo snel als jij..." was meestal haar reactie geweest als hij aanbood om een keertje te koken. Nu niet meer. Eigenlijk sinds de kinderen het huis uit waren. Vanaf die tijd kookte Ferd meestal in de weekends. Trouwens, ook steeds vaker door de week.
Het bekende riedeltje 'mijn man is getrouwd met zijn praktijk'

dat Cathrien vroeger graag liet horen, was nu vervangen door het deuntje 'ik ben getrouwd met een hobbykok'.
Om daarop te laten volgen dat je dat ook wel kon zien... "Ik ben zo dik geworden..." koketteerde ze dan. Wat onzin was. Cathrien was niet dik. Integendeel. Misschien wilde ze dat vooral horen...
Net toen Ferd de spareribs die bijna een etmaal in een door hemzelf gemaakte barbecuesaus hadden staan marineren uit de ijskast haalde, was Cathrien de trap afgekomen.
"Hoe ver ben je...?" had het geklonken.
"Op schema," had hij willen zeggen maar kreeg daar niet de kans voor. Want ze stond al naast hem aan het keukenblok terwijl ze haar vinger in de marinadesaus stak en hem aflikte.
"Mmm, lekker..." mompelde ze goedkeurend, terwijl ze haar vinger opnieuw in de saus doopte.
"Je zult nog even moeten wachten," had hij gereageerd.

HOOFDSTUK 6

Familie BBQ…

Het was over alles en over niets gegaan. Maar het was vooral gezellig geweest. Nou ja… ook serieuze zaken waren de revue gepasseerd. En in ieder geval waren ze weer weer eens met het hele gezin bij elkaar. Dat gebeurde de laatste tijd niet zo vaak meer. Geen onwil. Maar de kinderen hadden het druk. Met hun studie, werk, relaties… Bovendien woonden ze niet om de hoek, overigens ook niet ver weg. Roos en Pieter zaten in Amsterdam, Iris in Den Haag.

"Ik vind het iedere keer weer een verademing als ik hier ben," had Roos gezegd.

"De tuin alleen al… zoiets vind je niet in Amsterdam, hoor. Zelfs niet als je een fortuin neertelt. In deze tijd van het jaar vind ik hem eigenlijk op z'n mooist," was ze verder gegaan, "niet meer dat uitbundige junigroen, maar heel subtiel al de aankondiging van het naderend verval…"

Terwijl de waxinelichtjes op de feestelijk gedekte tafel in hun transparante potjes dansten, begon het langzaam maar zeker te schemeren.

"Ach," had Floortje, het vriendinnetje van Pieter gevonden terwijl ze op zijn bord nog een geroosterd lamskoteletje legde en zichzelf bezighield met het uitpakken van een zalmpakketje, "geef mij maar die lekker, lange zomeravonden… Moet je eens kijken, 't is nog geen half negen en het begint al donker te worden. En ook frisser."

“Zal ik een vestje voor je halen,” had Cathrien haar quasi vriendelijk aangeboden om zich vervolgens enigszins verwijtend tot Ferd te richten waarom hij nog altijd de stralers niet had aangezet. “Kan nu echt wel, hoor, ik weet niet waarop je nog wacht…”
Ferd deed wat van hem verwacht werd en meer. Even later koesterden Cathrien, zijn dochters, zoon en aanhang zich in de warmte van de stralers en legde Ferd nog een paar van zijn pittig gekruide hamburgers op het rooster boven het gloeiend houtskool.
“Moet je straks die saus bijnemen,” had hij tegen Marc, het vriendje van Iris, gezegd terwijl hij op een grote, gevulde glazen pot wees.
“Gemaakt naar een recept van Paul Newman,” had hij zich nader verklaard. “Ik was ooit in Amerika, in Massachusetts, en daar kwam ik het tegen. In een lokaal krantje… Dat recept dus. Newman had geloof ik iets met hamburgers…”
Marc, een jonge jurist die onlangs was aangenomen op een prestigieus advocatenkantoor, had hem aangekeken alsof hij het niet helemaal begreep maar dat beleefdheidshalve niet wilde laten blijken.
“Zeker, ga ik zo proberen… meneer Donkervoort.”
“Ferd,” het was de stem van Cathrien, hij deed alsof hij haar niet hoorde, wat hij zich kon permitteren omdat ze er toch van overtuigd was dat hij aan gehoorapparaat moest. Bovendien wist hij ook wat ze wilde zeggen. Of hij alsjeblieft niet met Paul Newman wilde komen aanzetten. Dat zei die kinderen helemaal niets…
Terwijl hij de geroosterde hamburger op het bord van Marc legde en erop aandrong flink wat van de saus op te scheppen, was het duidelijk dat Ferd nog steeds in de Paul Newmangroove stond.

Gek hè, hij had iets met die man…
Misschien kwam dat wel doordat ooit, heel lang geleden een meisje, nee, niet Cathty maar wel een meisje dat er toe deed tegen Ferd had gezegd dat hij op hem leek.
"Zelfde ogen, net zo'n neus…"
Hij had zo'n beetje alle films van Newman gezien. *The Hustler, Hud, Butch Cassidy and the Sundance Kid, The Color of Money…* noem maar op.
Ferd had zich weer tot Marc gericht om hem uiteen te zetten wat die barbecuesaus van Newman zo bijzonder maakte.
"Eerst," was hij begonnen, "moet je ontbijtspek heel fijn snijden en dan op laag vuur zonder olie of vet uitbakken. Uit de pan nemen. Dan in het achtergebleven bakvet een gesnipperde ui fruiten, knoflook erbij, honing, suiker, nee geen gewone suiker maar rietsuiker, appelazijn, citroensap, mosterd, worcestersaus, zout, peper en dan," was hij verder gegaan, "en dat is essentieel een paar druppels tabasco…"
"Ferd," de intonatie alleen al, maakte hem duidelijk dat hij een punt achter zijn keukenpraatje moest zetten.
Hij had op zijn tong moeten bijten om haar te zeggen dat hij dat zelf wel bepaalde, dat zij er niet over ging wat hij te berde bracht maar hij deed het niet. Want ach, wat deed het er ook toe, misschien had Cathrien wel gelijk en zou die barbecuesaus Marc een worst zijn…
Maar de kans was minstens zo groot dat hij evenmin belangstelling had voor wat Cathrien hem over háár kunst te melden had. Want Marc leek vooral voor Iris oog te hebben en zij voor hem.
"Alsjeblieft niet weer hè mam…" dacht hij ook van het gezicht

van Roos te kunnen aflezen toen Cathrien opnieuw aandacht vroeg voor haar successtory.
“Gaandeweg heb ik geleerd” , was ze van wal gestoken terwijl Marc zo beleefd was geweest haar glas nog eens bij te vullen, “om niet alleen heel serieus met schilderen bezig te zijn, maar ook om te kijken. Goed te kijken naar wat andere kunstenaars deden en doen. Niet om het na te doen, maar om er voor open te staan…”
Ze hadden nu allemaal hun mond gehouden;
Ferd, Pieter en Floortje, Iris en Marc, Roos…
Terwijl Cathrien nog een ferme slok van de koude, rode slobberwijn uit de Pays d’Oc had genomen, had ze ‘bekend’ dat ze vroeger wel zoiets had gehad van: Moderne kunst? Hmmm… het zal wel. Maar dat ze er, naarmate ze er meer van wist, ook steeds meer belangstelling voor kreeg.
“Het is pure emotie, laat maar binnenkomen. Het geeft je wereld een dieper aspect. Kunst moet emotie oproepen, zelfs als het een gevoel is van oh, wat afschuwelijk... Er zijn veel mensen die die emotie niet toelaten in hun leven. Dat is zo jammer, want daarmee doen ze zichzelf te kort…”
Het was even stil geweest en toen hoorden ze Marc zeggen.
“Ik kan daar een heel eind in meegaan, mevrouw Donkervoort…”
“Mevrouw Donkervoort…,” had ze geprikkeld gereageerd,
“Kijk Marc, je hoeft me echt geen Ma, of Mam te noemen, ik ben je moeder niet, maar dat ‘gemevrouw’. Dat hoeft nou ook weer niet… Dat geldt trouwens ook voor Floortje.”
Daarbij had ze even haar blik, maar beduidend minder enthousiast, op de nieuwste vlam van haar zoon laten rusten. Nee, Floor-

tje was het niet, besloot Cathrien. Zo 'gewoontjes' vond ze. Zo... Dat had ze ook tegen Ferd gezegd. Net als dat ze er nu al tegen op zag straks met haar ouders kennis te moeten maken. "Wat heb ik met die mensen, heb ik absoluut geen zin in..."
"Ben je bang dat het geen OSM is...?" had Ferd hatelijk gereageerd om er direct op te laten volgen dat hij het een aardige meid vond. En dat ze in ieder geval qua uiterlijk mooi bij elkaar pasten: hij zo donker, zij zo blond...
"Nogal ordi...vind ik" had ze gezegd. Om eraan toe te voegen dat het haar niets zou verbazen als ze ook nog eens tattoos had. "Ze houdt toch zogenaamd van zeilen...ik vind het typisch zo'n meid die op d'r kont een ankertje heeft laten zetten..."
"Cathy," had Ferd geroepen "waar heb je het helemaal over... Alsjeblieft."
Nee, als het aan Ferd lag hoefde ze zich om Pieter met zijn Floortje geen zorgen te maken. Met Roos was dat anders...
Hoewel ze misschien wel de mooiste was en waarschijnlijk ook de slimste, had ze nooit, zover Cathrien wist, een vaste relatie gehad. Ja, wat dat betreft was ze heel anders dan Pieter, dan Iris, die Marc al een eeuwigheid kende...
"Eh Cathy," klonk het nog niet helemaal natuurlijk maar dat zou ongetwijfeld 'gewoner ' worden - het 'meneer Donkervoort', kwam er in ieder geval een stuk zelfverzekerder
uit - "we, Iris en ik, we willen even uw, jullie aandacht vragen...
"Even maar hoor," had Iris er verlegen aan toegevoegd. Ze waren allemaal stil geweest en toen had Marc het woord genomen en van allerlei mooie en plechtige dingen over Iris gezegd om vervolgens Ferd om de hand van zijn oudste dochter te vragen.

Want volgend jaar mei wilden ze gaan trouwen. Dat ze nu al hun huwelijk aankondigden, kwam, had Iris gezegd, omdat er zo ontzettend veel te regelen en te organiseren viel.
"En omdat je maar één keer in je leven trouwt," ze had daarbij verliefd naar Marc gekeken, "willen we het ook goed doen."
Het burgerlijk huwelijk zou een kleine, bescheiden plechtigheid worden. Daarna een informeel etentje met familie en het bruidspersoneel.
"Maar jullie gaan toch niet trouwen in het gemeentehuis van Broekerwaard ," had Cathrien gereageerd, "dat is zo'n zielige toestand… Ik ben daar laatst nog geweest met het huwelijk van de dochter van mijn hulp. Had er bijna spijt van dat ik er naar toe was gegaan, maar ik moest wel… Heeft absoluut geen stijl."
Marc met een glas bubbelende champagne in zijn hand had - hij en Iris hadden eerder die avond drie flessen als 'verrassing', mee naar binnengesmokkeld - zijn aanstaande schoonmoeder gerust weten te stellen.
"Het Broekerwaardse raadhuis is absoluut *nicht im Frage…* We zijn er nog niet uit, maar dat gemeentehuis wordt het in ieder geval niet."
"Okay," had het opgelucht van de kant van Cathrien geklonken om er gelijk aan toe te voegen waar ze voor de kerk zouden trouwen…
"Den Haag…?", had het haast hoopvol geklonken. "Jullie wonen daar per slot van rekening… En de oudkatholieke kerk, ligt midden in het centrum, is een prachtige locatie."
Zonder het echt te zien, daarvoor was het ondanks de waxinelichtjes toch te donker, had Ferd gezien dat Iris bloosde. Ook zag

hij dat ze de neiging moest onderdrukken om niet, net als vroeger, op haar nagels te bijten.
"Tja," had Marc weer richting Cathrien gezegd, "dat waren we aanvankelijk ook van plan geweest. Mijn familie komt er vandaan, ook veel van onze vrienden wonen er..."
En toen was Iris hem in de rede gevallen.
"Mam, je bent misschien teleurgesteld dat we niet in Den Haag trouwen, ik weet dat jij dat graag zou hebben gewild, alleen ik, we trouwen toch liever hier in het Noord-Hollandse... Hier liggen," en toen had ze richting haar vader gekeken "mijn 'roots'."
"Ja," had Marc haar aangevuld, "er zijn hier zulke bijzondere kerkjes. We hebben her en der al ons licht opgestoken. Het wordt hoogstwaarschijnlijk of de Lambertuskerk in Waterland of toch de St. Genoveva in Broekerwaard...
"En dan zouden we het liefst" had Iris hem opgewonden onderbroken, "de receptie en het feest hier geven. Gewoon thuis op de Koetjeslaan. Grote tent in de tuin, tijdens de receptie een strijkje, 's avonds een band..."
"Tuurlijk vinden we dat goed," had Cathrien geroepen "geweldig zelfs. Maar we gaan ook samen jouw bruidsjurk uitzoeken. Weet een te gekke zaak in Antwerpen..."
Roos had het familiegebeuren, eveneens met een flûte champagne in haar hand, van een afstandje gadeslagen.
Droog stelde ze vast, zoals ze ook al eerder had geconstateerd, dat wat haar vader ervan vond er eigenlijk niet – meer – toedeed. Vroeger was dat wel anders geweest. Had zijn mening er toe gedaan. En niet dat het vaak gebeurde maar als het moest kon hij met de vuist op tafel slaan.

Zoals die keer, ze was zestien geworden, dat ze een scooter wilde omdat ze er geen zin meer in had elke dag, weer of geen weer, die 15 kilometer van en naar school te fietsen.
"Desnoods ga ik ervoor werken…" had ze 'gedreigd'.
Haar moeder had het prima gevonden en ook begrijpelijk dat ze een scooter wilde, maar haar vader was ervoor gaan liggen. Een scooter kwam er niet in. Nu niet en nooit niet. Hij had te veel ellende van die dingen gezien. Levensgevaarlijk. Hij kwam met statistieken aan om haar van zijn gelijk te overtuigen. En met een compromis. Dat als het echt geen weer was hij hen, want Iris en Pieter wilden natuurlijk ook een scooter, naar school zou brengen…
Ze herinnerde zich de kruistocht van haar vader tegen het roken. Daarin was hij ook onverzettelijk geweest.
Haar vader, besefte Roos ineens, was veranderd. Alsof…tja, het was moeilijk onder woorden te brengen, maar ze moest weleens met hem gaan praten. Trouwens niet alleen hierover maar ook over wat ze straks zou gaan doen. Haar laatste coschap, KNO, zat er bijna op. Over een dikke maand zou ze haar bul hebben. En dan zou ze beginnen, zoals ze bijna tijdens haar hele studie al had gewild, aan de huisartsenopleiding. Inderdaad 'zou ze' want ze vroeg zich steeds vaker af of ze dat nog wel wilde. Tijdens haar coschap chirurgie was ze voor het eerst gaan twijfelen of het vak van huisarts wel de juiste keus was. De chirurgie had haar zo gefascineerd dat ze, was niet verplicht geweest, een stage plastische chirurgie had gevolgd. En tijdens haar coschap gynaecologie was ze nog meer gaan twijfelen. Misschien was dat wel het vak voor haar... Die combinatie van intensief patiëntencontact en toch veel

opereren...dat sprak haar aan. Ze was ook een doener, niet alleen een prater... Was ze te ambitieus, liep ze te hard van stapel…? Maar dan nog. Ze was anders dan veel van haar medestudenten. Onder haar vriendinnen scoorde het vak van huisarts hoog. Net als dat van consultatiebureau-arts. Dat kon je tenminste makkelijk in deeltijd doen… Tja, als het daar om ging
Misschien moest ze haar plannen wijzigen, een andere koers uitzetten. Ja, daar wilde ze het ook met haar vader over hebben.
Dat was weer heel iets anders, stelde Roos enigszins cynisch voor zichzelf vast dan waar Iris zich de komende maanden mee bezig zou houden.
Want dat was met, in gedachten schreef ze het al met hoofdletters, H E T H U W E L I J K .
Roos had er vriendelijk bij staan glimlachen en net genoeg enthousiast getoost om geen gefronste wenkbrauwen op te roepen toen Marc haar vader om de hand van haar oudste zusje vroeg, maar in haar hart had ze het een onzinnige vertoning gevonden.
Marc en Iris kenden elkaar al een eeuwigheid, woonden al jaren samen in Den Haag op een rommelige bovenwoning (door haar moeder steevast aangeduid met appartement) en dan straks deze poppenkast… Haar vader had, zoals hij geregeld liet blijken, 'niets' meer met de kerk, haar moeder had er vooral 'iets' mee als het haar uit kwam… dat was bij uitvaarten en huwelijken. "Dan kan ik eindelijk weer eens een hoed dragen…" riep ze dan.
Roos, nog steeds met een allang niet meer parelende flûte champagne in haar hand, kon het zich al helemaal voorstellen. Haar vader zou volgend jaar, op een mooie dag in mei terwijl het Ave Maria klonk en de zon door de gebrandschilderde ramen naar

binnen viel de in een maagdelijk wit gestoken bruidsjurk Iris naar het altaar begeleiden om haar vervolgens 'weg te geven' aan de bruidegom… Een *invention of tradition* Roos was er vaker getuige van geweest. "Schone schijn" was het weer even door haar heen gegaan. In dat opzicht was Patrick een heel ander verhaal.

HOOFDSTUK 7

Een mooi plaatje…

Ferd zat aan zijn bureau, zijn dichtgeslagen laptop voor zich. De laatste patiënt was vertrokken. Net als Mieke, zijn assistente…
"Fijn weekend, tot maandag," had ze enthousiast geroepen terwijl ze de deur achter zich dichttrok.
Mevrouw de W. die, zoals vaker, samen met haar dochter was gekomen, was minder enthousiast geweest toen ze die vrijdag de spreekkamer verliet. Maar de dochter was in ieder geval blij dat hij haar moeder, die dementerende was,
had verwezen naar de internist. Vroeger zou hij dat niet zo snel hebben gedaan, tegenwoordig deed hij daar niet meer moeilijk over. Waarom ook? Binnenkort zou hij toch stoppen met de praktijk. De huisartsenpraktijk zoals hij die al vijfentwintig jaar voerde was op sterven na dood. Je had nu gezondheidscentra. Alles onder één dak. Huisartsen, fysiotherapeuten, verloskundigen, diëtisten, psychologen, bloedafname, diabetescontrole, obesitasbegeleiding. Zelfs in Broekerwaard. Hij moest met zijn tijd mee. Eind van het jaar, op zijn laatst ergens volgend jaar zou hij één van de vijf huisartsen en de enige manlijke èn fulltimer zijn in het onlangs opgeleverde, gloednieuwe gezondheidscentrum 'De Beukenhof'. Hij moest er niet aan denken.
Wel dacht hij nog even aan mevrouw de W. Aan andere patiënten zoals mevrouw de W. Hij merkte dat hij hen steeds vaker over

één kam scheerde. Dat kwam natuurlijk omdat ze nogal wat overeenkomsten vertoonden. Zo waren ze bijna altijd teleurgesteld in hem, de dokter. Dat gold natuurlijk voor meer huisartsen maar die deden of hun neus bloedden. Bleven in de illusie geloven. Hij niet. Hij wist dat ze hem niet doortastend genoeg vonden. Niet geneeskundig genoeg. Dat ze hem een iets te hoog grog-aspirine-paracetamolgehalte verweten terwijl er tegenwoordig, daar kwamen ze altijd mee, zoveel kan.

"Die vergeetachtigheid van mijn moeder zou toch ook door een slechtwerkende schildklier kunnen komen..." had de dochter van mevrouw de W. geopperd.

"Kan," had hij geantwoord "maar de kans is klein."

Naar dat laatste had ze geen oor gehad.

"Ik wil echt alles uitsluiten..." had het ferm geklonken terwijl haar moeder zachtjes in een zakdoek zat te snotteren.

Hij had een verwijsbrief voor de internist geschreven. Een maand eerder had hij mevrouw de W. op dringend verzoek van haar dochter naar de neuroloog doorgestuurd. Ze had iets gelezen over een nieuw soort pillen die een heilzaam effect zouden hebben op de klachten van haar moeder: huilerig, vergeetachtig, bang...

Zo ging dat. Patiënten betalen premie, lezen de bladen, struinen internet af, zien op televisie open-hartoperaties, neurochirurgen die schedels lichten, elke dag wordt er gepraat over een nieuw middel tegen de ziekte van Parkinson of Alzheimer dus willen patiënten medicijnen, operaties, een MRI van hun zere voet, echo's van hun galblaas, kleurenscanners van hun hoofdpijn, vrouwen van in de vijftig een baby...

Hoe zei zijn vroegere hoogleraar huisartsgeneeskunde het ook

alweer: Het voornaamste verschil tussen God en een arts is dat God niet denkt dat hij arts is…
Ferd keek zijn spreekkamer rond: eenvoudig, strak, functioneel. Lichtgrijs bureau, lichtgrijze vloer, lichte wanden. Neutraal. Behalve dan het drietal schilderijen dat er hing. Taferelen in felle kleuren van wulpse vrouwen aan tafel. Overvloedig etend, drinkend, keuvelend, roddelend, gierend, lege wijnflessen op de grond, volle op tafel, diep uitgesneden decolletés. Het waren doeken die Cathrien, ze was toen net met schilderen begonnen, een aantal jaren geleden had gemaakt.
Hij had aanvankelijk getwijfeld of het wel kon, die schilderijen ophangen in de praktijk. Was het niet te uitdagend, te provocerend…? Waren die doeken van Cathrien niet te decadent voor de spreekkamer van een dorpshuisarts. Stonden ze niet haaks op wat hij zijn patiënten geregeld voor hield.
Niet te veel drinken – hooguit twee glazen en niet iedere dag – niet te veel vet, te veel suiker, te veel zout…
"Jij altijd met dat vingertje van je, je bent zo moraliserend," had Cathrien hem verweten toen hij zijn twijfel uitsprak of de praktijk nu wel de geschikte plek was om haar werken te exposeren.
"Daar komt tenminste nog eens iemand ," had ze hem tegengeworpen om eraan toe te voegen dat ze een gynaecoloog in Amsterdam kende die zijn spreekkamer vol had hangen met erotische werken van Aat Velthoen.
"Naakten, masturberende vrouwen, copulerende stellen…ik bedoel maar dat is toch heel wat anders dan t a f e l e n d e mensen …"
Hij was overstag gegaan. Vier schilderijen kwamen er te hangen:

drie in de spreekkamer, een in de wachtkamer.
Terwijl hij naar buiten keek, naar de tuin waar een herfstbriesje de inmiddels roestbruine bollen van de Annabella's zachtjes deed wiegen, vroeg hij zich af of dat misschien het begin, het begin van… Nee, die gedachte wilde hij niet toelaten. Nog niet tenminste.
Maar Cathrien had wel gelijk gekregen: in de praktijk kwam tenminste nog eens iemand.
"Wat heeft u daar nou aan de muur hangen?" "Van wie is dat…?" "Heeft uw vrouw dat gemaakt… wat geweldig." "Is het te koop…?"
Een van zijn patiënten had gelijk spijkers met koppen geslagen: Lorry Spangenburg-Jones. Een Amerikaanse getrouwd met een Nederlander die iets hoogs bij een multinational was. Een elektronicaconcern. Hij zat bij 'light' maar voor haar was het bestaan had ze gezegd in een poging om geestig te zijn, helemaal niet 'light' meer sinds ze in de overgang was. Opvliegers bepaalden haar leven. Drie keer per nacht werd ze badend in het zweet wakker, beddenlakens vol jankte ze… Van hormonen had ze aanvankelijk niets willen weten, gevaarlijk daar kreeg je maar kanker van, maar nu had ze geen keus meer…
En toen was haar oog op de schilderijen gevallen. *"Very, very special…,"* had ze gezegd. En nogmaals *'very, very special…'*
Ze had het even niet meer over de overgang gehad, maar was vrijwel naadloos overgestapt naar het onderwerp 'broer', nou ja halfbroer. Enfin, die halfbroer, een of andere hotemetoot in de kunstwereld, wist Lorry omstandig te vertellen, die broer die kende weer Bronstein, Arthur Bronstein…

Terwijl Ferd met zijn kortgeknipte nagels op zijn bureau tikte, een tic van hem waar hij de laatste tijd zich vaker op betrapte, was de telefoon gegaan. Aan het roodknipperende lichtje zag hij dat het een interne lijn was. Hij nam op.
“ Ferd,” aan de toon van haar stem – lief, koket – kon hij horen dat er publiek was, “wil je ook even komen. De fotograaf van de MARIE-BELLE is er. Hij wil ook nog wat foto’s van jou nemen. Zeg maar om het plaatje compleet te maken. Hij heeft er ook al een paar,” en ze giechelde meisjesachtig, “van Boebie genomen.”

Home, sweet home..

HOOFDSTUK 8

Sweet, sweet family…

"Ik wil het je niet afraden," had hij tegen Roos gezegd, "maar je moet je wel realiseren dat het zwaar is. Verdomd zwaar… Ik heb indertijd ook een poging gedaan. Weliswaar een kortstondige, maar toch…"
Na die barbecue in augustus had ze haar vader gevraagd of ze nog even met hem kon praten. Liefst diezelfde avond nog. Want de volgende ochtend moest ze weer vroeg weg. Bovendien had hij dan spreekuur dus was er ook geen tijd…
"Tuurlijk Roosje" had hij gezegd. Het was al laat die avond toen ze hem vertelde dat ze sterk twijfelde of ze het wel moest doen: huisarts worden.
Hij had zijn mouwen opgestroopt, stond met zijn armen in het sop om de borden af te wassen waarvoor geen plek meer was in de inmiddels draaiende vaatwasser. Zij droogde ze af. De borden, het bestek, de glazen, de kommen… Het was na middernacht en ze was inmiddels aan haar vijfde theedoek toe.
"Wat een afwas zeg…" Hij had er zijn schouders over opgehaald. Roos bedacht zich dat als zij niet gevraagd had of ze even met hem kon praten hij de troep alleen had moeten opruimen.
Iris en Marc hadden ondanks de champagne toch maar besloten weer naar Den Haag af te reizen, Pieter had overdreven geeuwend geroepen dat hij zijn vroegere kamer weer eens ging opzoeken.

En uiteraard was Floortje met hem meegegaan. Ook haar moeder had het voor gezien gehouden.
"Ik heb zoveel te doen..." had ze geroepen, "moet morgen echt vroeg aan de slag."
Roos had het niet helemaal begrepen. Dat gold toch ook voor hem, voor haar vader. Morgen om acht uur stonden de eerste patiënten voor de deur...
Terwijl Cathrien richting keuken was gelopen had ze Ferd eraan herinnerd dat hij niet moest vergeten de stralers uit te zetten...
"Ik slaap trouwens wel in de logeerkamer," had ze er en passant aan toegevoegd, "loop ik niet het risico wakker gemaakt te worden als jij in bed komt... ik slaap zo licht."
Toen waren ze met zijn tweeën over geweest; Roos en Ferd. Ze hadden de stoelen op het terras weer op hun plek gezet, glazen en borden naar de keuken gebracht, de schaal met overgebleven zalmpakketjes opnieuw met folie afgedekt en in de ijskast teruggezet.
"Kortstondig...", had Roos gereageerd terwijl ze het laatste waxinelichtje uitblies "ik wist niet eens dat jij sowieso iets met chirurgie van doen had gehad..."
"Komt misschien," had hij geantwoord "dat ik er niet graag aan herinnerd word... Achteraf, denk ik ook dat het niet mijn eigen keus was, maar meer die van Cathrien, van eh je moeder... Een vriendje," de lichte spot in zijn stem ontging haar niet, "dat chirurg in opleiding was, was natuurlijk wel wat spannender dan een sukkel die huisarts werd of, nog erger, verzekeringsarts..."
"Pap, doe eens normaal," had ze willen zeggen, maar ze kwam niet verder dan "Pa..."

Ferd had er geen acht opgeslagen maar was verder gegaan. "Spannend of niet, mijn opleider vond al snel dat ik niet uit het juiste hout gesneden was om chirurg te worden. In die vier maanden dat ik op de afdeling heelkunde zat, ben ik niet verder gekomen dan 'handen wassen' en over de doeken meekijken naar een galblaas, een blindedarm…"
"Oh ja," dat schiet me nu ook weer te binnen," ik lette er ook angstvallig op of mijn schoenen wel gepoetst waren. Was dat niet het geval dan kon je het ook schudden."
"Dat meen je niet," had ze gereageerd.
Hij ging verder alsof hij haar niet had gehoord. "Er zat, dat heb ik me achteraf bedacht, ook wel iets in. Een kwestie van discipline. Chirurgie is een vak van discipline. Als je nog te beroerd bent om je schoenen te poetsen dan hoef je er niet eens aan te beginnen. Nou, over die schoenen ben ik niet gestruikeld, die poetste ik wel… Maar verder, ik was er gewoon niet geschikt voor. Dat zag ik zelf ook. Eigenlijk was ik best opgelucht dat ik een brevet van onvermogen kreeg uitgereikt. Was ook onvoldoende gemotiveerd. Mijn motivatie was vooral gebaseerd op eh ja," hij zocht naar de juiste woorden, "zeg maar om indruk te maken op je moeder…"
Terwijl Roos het bijna laatste glas zorgvuldige afdroogde, had ze opgemerkt dat hij dus uit een ander vaatje had moeten tappen om indruk te maken. Op háár.
"Ik besloot om een heel goeie huisarts te worden", had hij geantwoord.
Hij had z'n armen met de opgestroopte mouwen uit het inmiddels lauwe sop gehaald en schudde ze droog.
"En is dat gelukt?" was het er haast gretig uitgekomen.

Ze had hem gespannen aangekeken, een theedoek in haar hand. Hij had er zwijgend bij gestaan, alsof hij plotseling in gepeins verzonken was.
"Nou...", had ze hem aangemoedigd.
"Ik heb mijn best gedaan," had hij geantwoord.
"Je bedoelt ..." ze had willen doorvragen maar had op hetzelfde moment de rest van de zin alweer ingeslikt.
"Meer dan je best doen," was hij verder gegaan "kun je niet doen... Maar of ik een goeie dokter was. Misschien voor sommigen..."
Hij dacht aan een patiënte, een jonge vrouw die, het was een paar jaar geleden, hoestend en benauwd en met pijn op het spreekuur was gekomen. Een dag eerder was ze van een vakantie uit Egypte teruggekeerd. Hij had haar geen recept gegeven, en haar evenmin naar huis gestuurd. Wel had hij de ambulance gebeld. Met een aan zekerheid grenzende waarschijnlijkheid vermoedde hij een longembolie. Het was de juiste diagnose geweest.
Door tijdig ingrijpen werd haar leven gered. Had hij mede haar leven gered...
Een paar maanden daarvoor was een eveneens jonge vrouw bij hem op het spreekuur verschenen. Ze had min of meer dezelfde verschijnselen gehad: hoesten, pijn, benauwd. Hij hield het op een infectie van de bovenste luchtwegen, schreef een antibioticum voor. Twee dagen later was ze dood: een longembolie... Een gemiste diagnose die hem niet werd aangerekend. Waarom ook? De patiënte in kwestie had geen lange vliegreis gemaakt. Wel was ze zwaar verkouden geweest. Verder kerngezond. Tenminste zo leek het. Hij had haar één keer eerder op het spreekuur gehad. Voor

een recept. Ze wilde weer met de pil beginnen.
Van haar dood had hij geleerd. Een gemiste longembolie. Dat zou hem niet weer gebeuren. Hij had leergeld betaald.
Roos was gaan zitten op een van de keukenstoelen met de inmiddels verfrommelde theedoek nog altijd in haar hand. Terwijl ze aandachtig naar hem luisterde, kreeg ze steeds meer het gevoel dat haar vader haar aanwezigheid was vergeten en tot zichzelf sprak.
"Of ik een goeie dokter ben geweest? Voor sommigen wel, voor anderen niet. Voor een enkeling… Ik heb bewerkstelligd dat een vriend die drie weken had kunnen wachten voorrang heeft gekregen boven vijftien mensen die al drie maanden op een wachtlijst stonden.
Ik ben blij geweest met het grote aantal patiënten dat ik elke dag weer kreeg. De schoorsteen moest ook roken. Drie kinderen, een vrouw, een zware hypotheek…"
"Kreeg," had Roos willen reageren "hou je er dan mee op? Je doet alsof je er al mee bent opgehouden", maar ze kreeg de kans niet iets te zeggen.
"Arts zijn", was haar vader verder gegaan "is verheimelijken – in de eerste plaats voor jezelf – dat je niets begrijpt van wat negen op de tien mensen je vertellen en je vergissen in wat de anderen je vertellen. Neem meneer V. Een vriendelijke, oude baas, een paar jaar geleden weduwnaar geworden. Kwam geregeld op het spreekuur om zijn bloeddruk die nauwelijks verhoogd was te laten meten. U heeft de bloeddruk van een jonge god zei ik hem dan en dat leek hem goed te doen.
Meestal kwam hij op het inloopspreekuur, soms maakte hij een

afspraak. Op die laatste door hem gemaakte afspraak kwam hij niet opdagen. De buren hebben hem gevonden. Hij had eerst zijn papieren in orde gemaakt, de afwas en het huishouden gedaan, de kat te eten gegeven, alle lichten gedoofd om vervolgens in de kelder, op een stapel oude aardappelzakken om niet alles met bloed te besmeuren, zich een kogel door het hoofd te jagen.

Een goeie dokter…je begint domweg een rommelende buik te beluisteren, lichtjes een borstkas te betasten die door geen ademstroom meer wordt bewogen, ogen te onderzoeken die zo dof zijn als van een vis op een snijplank. Om te doen alsof. Om te kunnen zeggen dat er niets meer te doen valt, dat je niets hebt kunnen doen. Zodat ze niet kunnen zeggen dat je niets hebt gedaan.

Zieken, doden, klagers, optimisten, zwaarmoedigen, blijmoedigen, oud en jong, kinderen en bejaarden, mooi en lelijk" hoorde Roos haar vader zeggen "ik heb ze in alle soorten en maten gezien. Wat dat betreft komt ook in Broekerwaard de hele wereld voorbij…

Uitgemergelde kankerpatiënten, een baby die doodgeschud is toen hij bleef huilen, een kleuter van wie alle botten zijn gebroken omdat het kind op zijn vijfde nog in zijn broek poepte, de vrouw die van mij moest horen dat haar echtgenoot niet de ziekte van Lyme had zoals ze haar in het ziekenhuis hadden voorgelogen maar met HIV besmet was en zij daardoor ook…"

"Wat wil je daarmee zeggen pap…?" Voor het eerst leek hij haar weer te horen, reageerde hij op wat ze zei.

"Ze hebben me aangetoond dat er alle reden is om bang te zijn voor het leven, maar dat er geen reden is om bang te zijn voor de dood. De doden kennen geen angst..."

En onmiddellijk had Ferd eraan toegevoegd, terwijl er een cynisch lachje rond zijn mond speelde, dat hij ook wel wist dat ze het daarover niet had willen hebben.
"Sorry, dat ik erover begonnen ben," had hij gezegd "maar Roos als jij liever chirurg of gynaecoloog wordt dan huisarts dan doe je dat toch. Graag zelfs. Mijn zegen heb je..."
"Pap," had ze willen antwoorden "ik wist het niet eh, maar daardoor komt het toch, dat je anders bent dan vroeger... Maar nu weet ik het, je bent bang voor het leven."
Maar ze deed het niet. Ze deed er het zwijgen toe.

Thereby hangs a tale

HOOFDSTUK 9

Kennismaking…

“Hoe gebruikt u uw koffie? Melk, suiker?”
“Zwart,” had Roos geantwoord.
“Wat zei u…?”.
“Zwart” herhaalde ze. Terwijl de medewerkster van het secretariaat gynaecologie richting koffieautomaat liep, vroeg ze zich af of ze nou echt zo onduidelijk sprak of dat de ander gewoon niet luisterde.
Ze had een afspraak. Om tien uur. Met dr. Marsman. Hoofd opleiding gynaecologie & verloskunde in het Zuiderstreekziekenhuis. Ze was keurig op tijd geweest. Had zich gemeld op het secretariaat. En nu was het inmiddels half elf.
Een andere secretaresse dan die van de koffie had haar bij binnenkomst gezegd dat ze wel even kon wachten op de kamer van dr. Marsman.
“Oh ja, ik zie het hier staan in de agenda: sollicitatiegesprek Roos Donkervoort. AGNIO… 10 uur. Volgt u me maar…”
Ze was achter haar aangelopen de gang door, sommige deuren waren open, andere dicht of stonden op een kier. In het voorbijgaan had ze er een blik in geworpen. Kamers die duidelijk maakten dat er in de gezondheidszorg niet met geld gesmeten werd: ze waren zoals dat heet functioneel. Een rottende banaan op een bureau, halfvolle koffiebekers, foto’s van een gelukkig

ogend gezin aan de wand, verstilde witte jassen in trance achter een beeldscherm…
Toen ze bij de kamer van Marsman waren aangekomen, had de medewerkster terwijl ze de klink al in haar hand had pro forma geklopt om vervolgens de deur, want zo spontaan was ze wel, in één moeite door open te gooien…
"Shit," hoorde Roos haar zeggen om zich vrijwel direct te corrigeren en er 'chips' van te maken.
"Sorry hoor," maar dat doet-ie nou altijd "z'n kamer afsluiten terwijl hij weet dat hij een afspraak heeft…"
Op hetzelfde moment was er een jongeman in openhangende witte jas met een stel statussen onder zijn arm langs gekomen.
'M. van Beveren, geneeskundig assistent' las Roos op het naamplaatje dat op zijn jas prijkte.
"Marcel, weet jij waar Marsman uithangt? Normaal gesproken opereert hij toch niet op dinsdag…" had de secretaresse gebitst.
"Marsman," had de assistent gerepliceerd, "staat op de OK de shit van Iwan op te ruimen. Van een simpele, uterus extirpatie weet die nog een puinhoop te maken…"
"Iwan?"
"Ja, Iwan de Verschrikkelijke stond er vandaag alleen voor. Zonder supervisor. En je ziet wat ervan komt…"
Driftig was hij weggebeend. Roos hoorde hem in het voorbijgaan nog iets mompelen dat de 'gewone' assistenten niet aan bod kwamen omdat die verdomde Rus zo nodig in Nederland gynaecoloog moet worden. En van die eenvoudige ingrepen moesten zij het, de assistenten in opleiding toch ook hebben…
"Je overdrijft Marcel ", had het betweterig geklonken, "de oplei-

ding gynaecologie hier staat er juist om bekend dat de assistenten er veel meer aan de bak komen dan in andere opleidingcentra zoals in Amsterdam, Utrecht, Rotterdam…"
Roos dacht ze dat de assistent iets had horen terug mompelen van: "Mens , ga terug naar je hok, wat weet jij er nou van…"
Maar zeker was ze daar niet van want de secretaresse reageerde er niet op – waren het dan misschien haar eigen gedachten geweest... – en had zich weer tot Roos gewend terwijl ze voor de deur van het secretariaat stonden.
"Nodig hebben we het wel, maar het is er niet: een wachtkamer… Dus moet u maar even ergens achter een leeg bureau plaatsnemen totdat dr. Marsman tijd voor u heeft. Nou, zo'n probleem zal dat niet zijn want we werken hier allemaal parttime…"
Om er gelijk op te laten volgen dat Yvonne er op dinsdag niet was en dat ze dus op die plek kon gaan zitten.
En terwijl Roos aan het bureau aanschoof, riep de secretaresse, terwijl ze wegliep richting haar eigen plek dat ze nog even een collegaatje zou langs sturen voor de koffie.
Dat 'tje' kon je er trouwens wel afhalen vond Roos toen de medewerkster nog jong maar wel een maat 46 even later voor haar stond om de bestelling af te leveren.
De boodschap bleek te zijn doorgekomen: ze had zwarte koffie gebracht en ook maar gelijk een tijdschrift, want, zo had ze zich nader verklaard, het kan nog wel even duren voor Marsman er is…
"Een unicum hoor," had ze tegen Roos gezegd terwijl ze haar de MARIE-BELLE overhandigde , "meestal hebben we hier bladen van drie jaargangen terug, maar deze is vers van de pers…"

'Je wordt geen kunstenaar, je bènt het' las Roos op de cover en er was een kleine schok door haar heengegaan. Dit was het dus, hèt interview met haar moeder... Ze wist dat het eraan zat te komen, maar dat ze het nou uitgerekend hier voor het eerst onder ogen moest krijgen.
CATHRIEN DONKERVOORT om die naam alleen al in kapitalen op de cover te zien staan, had haar even van haar apropos gebracht. Misschien kwam het daardoor wel dat haar 'bedankt' er wat aarzelend uit was gekomen want de secretaresse reageerde prompt met "toch maar liever een ouwe Elsevier...?"
"Nee, nee," had Roos gehaast zich te zeggen: "Integendeel".
Ze had het blad bijna uit haar handen gegrist en iets groepen dat ze juist een fan van de MARIE-BELLE was.
"Nou dat komt dan mooi uit..." had de secretaresse gevonden terwijl Roos intussen het blad driftig doorbladerde op zoek naar het interview met haar moeder. Ze vond het. Zes pagina's lang was het, royaal gelardeerd met foto's. Foto's van Cathrien Donkervoort aan het werk in haar atelier, van haar en echtgenoot Ferd samen met de trouwe viervoeter Boebie, opnames van de gezellige eetkeuken, van de zonnige serre, van een palet met acrylverf, foto's van eigen werk in de woonkamer, in de praktijk...
Roos las het interview, las het nog eens...en was blijven haken bij die ene passage:
"Je kunt mij geen groter genoegen doen dan een werk bij me te kopen en er blij mee naar huis gaan. Je bent niet alleen voor jezelf op de wereld. Als ik met mijn werken iets kan bijdragen aan het geluk van anderen, heel graag. Daar draait alles om. Mijn man, hij is huisarts, merkt dat ook in zijn praktijk. Hij heeft er verschillende

doeken van mij hangen. En iedere keer weer valt het hem op dat ze zijn patiënten positieve energie geven. Ze worden er blij van, zelfs als ze ernstig ziek zijn. En hijzelf trouwens ook...”

Onwillekeurig had ze moeten denken aan dat doosje medicijnen dat ze een paar maanden geleden, kort na het gesprek dat ze met haar vader had gehad, ‘toevallig’ op zijn bureau had zien liggen: Oxazepam. Een middel dat gebruikt wordt bij angst- en paniekstoornissen.

Waarom, had ze zich afgevraagd, was haar vader zo bang, zo bang voor het leven dat hij pillen slikte om zijn emoties te dempen…? Had het een met het ander te maken? Zou het…? Maar gek hè, ze had het hem niet durven vragen.

“Donkervoort, Roos Donkervoort…?” aan het gekakel om haar heen was ze in dat uurtje dat ze op het secretariaat zat te wachten inmiddels zo gewend geraakt dat het langs haar heen ging, maar toen ze haar naam hoorde noemen schrok ze op. Hij stond voor haar. Met uitgestoken hand. “Marsman”.

Haar “Roos Donkervoort”, was er een stuk minder overtuigd uitgekomen. Ze voelde zich ineens minder zeker dan aan het begin van de ochtend. Verlegen ook. Verlegen met de situatie. Want zo was het gegaan.

Toen haar moeder hoorde dat ze godzijdank geen huisarts wilde worden, maar gynaecoloog, was vrijwel onmiddellijk de naam ‘Marsman’ gevallen.

“Oh, die ken jij toch ook Ferd… hij woonde ooit in een kapitale boerderij in Middenbeemster. Een tijdje terug is hij naar Tilburg vertrokken, naar het Zuiderstreekziekenhuis. Niet zo lang geleden heeft hij nog twee doeken van me gekocht,” had haar moeder

geroepen.
"Zijn naam zegt me niets" had haar vader geantwoord, "helemaal niets maar als hij iets voor Roos..."
Ze had hem niet laten uitpraten maar zich vrijwel onmiddellijk tot haar dochter gewend met de woorden: "Ik ga hem zo voor je bellen..."

Thats the true beginning of our end

HOOFDSTUK 10

Secret love...

Terwijl hij met zijn ene hand zachtjes cirkels maakte rond haar zachtroze tepels en met de andere hand opnieuw zijn weg zocht naar de vochtige warmte tussen haar benen, had hij haar bijna ademloos toegefluisterd dat ze dat toch niet kon menen.
"Je gaat toch niet terug naar waar je vandaan komt...Roosje, alsjeblieft doe me dat niet aan. Roos..."
Ze had hem willen zeggen dat hij niet zo moest overdrijven, dat dit voor haar een unieke mogelijkheid was, dat ze de wereld niet uitging, dat ze... Daar kon hij toch wel begrip voor opbrengen.
Maar ze kreeg er de kans niet voor. Hij had zich weer boven haar uitgestrekt, ze voelde hoe zijn tong haar mond opnieuw verkende, eerst traag maar allengs sneller, hoe hij moeiteloos naar binnen gleed, hoe hij... ze kreunde van genot. En terwijl haar nagels zich vastklauwden aan zijn gespierde rug waar ze ondanks hun bescheiden lengte net als de vorige keer èn de keren daarvoor kleine, fijne striemen zouden achterlaten, voelde ze hoe hij steeds sneller in haar bewoog, ze pakte zijn ritme op, bewoog mee...
"Ga door, ga door..." smeekte ze hem. En dat deed-ie. En zoals ze inmiddels van hem gewend was en dat haar na die zeven maanden nog steeds opwond, liet hij even opnieuw de teugels vieren om haar vervolgens weer met ongekende energie te berijden.
Patrick werkte niet op de bank, evenmin op een prestigieus

advocatenkantoor en was ook niet bezig te promoveren op de aanbevelingen van Cicero, nee hij zat in de bouw. Patrick was stukadoor. Hij zat niet in loondienst, maar werkte voor zichzelf. ZZP-er. Aan werk geen gebrek.
"Als ik wil," had hij tegen Roos gezegd "kan ik acht dagen per week aan de slag. Maar daarin heb ik geen zin. Op zaterdag wil ik voetballen, op zondag crossen met m'n motor en op vrijdag stappen met m'n vrienden."
Op zo'n wekelijkse stapavond had ze hem ontmoet in een café waar ze anders nooit kwam, op de grens van het centrum en Oud-West.
Ze was er met een studiegenote, Julia, die net als zij de laatste dag van haar coschap psychiatrie erop had zitten, toevallig verzeild geraakt. Nou ja toevallig... haar studiegenote vond het wel een toepasselijke plek om daar hun 'afscheid' van de psychiatrie – want als ze één ding zeker wisten, was het dat ze dat niet wilden - te vieren. De Schouw zoals het café heette lag op een steenworp afstand van waar ooit Paviljoen 3 had gestaan, de psychiatrische kliniek van het voormalige Wilhelmina Gasthuis, het WG.
Roos had zich ineens weer herinnerd dat haar vader het er ook weleens over had gehad. Meer dan eens. Zelfs de naam van zijn hoogleraar was haar weer te binnen geschoten.
"Hij heette Piet Kuiper" had ze tegen Julia gezegd "mijn vader was zeer van hem onder de indruk. Vooral van zijn boeken. Dat handboek over de psychiatrie staat nog bij hem in de praktijk. En dat andere boek van hem '*Ver heen*' waarin hij beschrijft hoe hij in een psychose terechtkomt en zich daar weer uit weet te bevrijden..."

"Oh Roos," had Julia quasi gedecideerd gezegd, "alsjeblieft even geen psychoses meer, ik wil nu rosé ... Die paar weken adolescentenkliniek hebben er meer in gehakt dan ik had gedacht... Die jongen, je weet wel met dat petje," terwijl ze het zei trok ze een rare grimas alsof Roos zo beter zou begrijpen over wie ze het had, "ook nog eens de zoon van een echt bekende BN-er... Weet je, geen grapje hoor, serieus die stelde zich doodleuk voor als de zoon van God..."
"Een Spaanse, een Zuid-Afrikaanse of een Côte de Provence...?"
, was de barkeeper tussendoor gekomen.
"Nou zeg, dat is chic, kiezen uit verschillende rosé's, dat heb je niet in elk café," had Julia net luid genoeg geroepen dat ook anderen dan Roos het konden horen.
"Als ik jullie was, zou ik voor de Spanjaard gaan."
Roos had opgekeken om vervolgens oog in oog te staan met degene die zo aardig was geweest hen van ongevraagd advies te dienen. Hij was groot en breedgeschouderd, droeg een knalwit T-shirt en een verwassen spijkerjack. Hij was blond, zijn haar hing over de kraag van zijn jack, maar het was niet vet. Ze had hem hoogst aantrekkelijk gevonden.
"Patrick", "Roos","proost" hadden ze alle twee tegelijkertijd gezegd terwijl ze klonken.
Zo was het begonnen. Was ze drie uur eerder met Julia het café binnengewandeld, drie uur later verliet ze het samen met Patrick. Naar zijn huis.
Hij had het haar nog gevraagd: bij haar of bij hem...?
Nee, niet bij haar... Nee, echt niet. Ze zei het hem niet, waarom zou ze, maar ze wilde haar huisgenoten niet met de zoveelste

one-nightstand confronteren... Ten aanzien van hen, van die brave meisjes- met- hun- vaste- vriendjes, zat ze aan haar taks.
Hij woonde mooi, mooier dan ze had verwacht. Hoewel ze eigenlijk niet had geweten wat ze verwacht had... Het was een oud pandje aan de rand van de Jordaan.
"Het is eigenlijk geen Jordaan meer," had hij gezegd, "maar het klinkt wel zo aardig." Ooit had er een smederij ingezeten, daarna had het jarenlang leeg gestaan en toen Patrick het kocht was het zo goed als onbewoonbaar geweest. Daarom had hij het , zoals hij zei, voor een 'vriendenprijs' kunnen aankopen. Vervolgens had hij het samen met een paar stapvrienden die ook in de bouw zaten opgeknapt. Het was een klein huis met een grote werkplaats.
"Kan ik tenminste aan mijn motoren sleutelen" had hij gezegd toen hij bij binnenkomst het licht aanknipte en Roos in de hel verlichte ruimte oog in oog stond met een crossmotor, een Harley Davidson en een motor die blijkens de losse onderdelen die zich in de onmiddellijke nabijheid van het voertuig bevonden in revisie was .
"Een oude BMW," had hij gezegd "knap ik op voor een maat van me..."
Ze had met haar ogen staan knipperen tegen het felle licht. Toen hij dat zag was z'n hand naar de schakelaar in het vertrek gegaan om het licht te dimmen.
" Zo beter?", had hij gevraagd. Terwijl ze bevestigend had geknikt was hij op haar af gekomen en was haar weer gaan zoenen. Zoals hij in het café had gedaan, zoals hij onderweg had gedaan toen ze door nachtelijk Amsterdam van De Schouw naar zijn huis liepen.

Hij had haar voorzichtig opgetild terwijl hij in haar oor fluisterde dat ze zo lekker licht was en haar schrijlings op de Harley gezet. Haar korte rok was nog verder omhoog gekropen, daar waar de boord van haar kousen ophield was hij haar gaan strelen, steeds hoger... Zo was het, inmiddels zeven maanden geleden, begonnen en ze had er nog steeds geen genoeg van.
Terwijl ze in de holte van zijn arm lag had ze proberen uit te leggen dat het voor haar een unieke kans was.
"De eerste zes maanden ben ik AGNIO en daarna kom ik in opleiding, heeft Marsman me beloofd."
"Wat is een AGNIO? Wie is Marsman?" had hij stug gevraagd.
"Marsman is mijn opleider, nou ja mijn toekomstige opleider ," had ze geduldig geantwoord "en een AGNIO is een assistent geneeskunde die niet in opleiding is. Zeg maar een doodlopende weg..."
"Hoe bedoel je?"
"Velen zijn geroepen maar weinigen zijn uitverkoren... Een assistent die niet in opleiding is wil niets liever worden dan een assistent die wèl in opleiding is. Dat geldt voor de radiotherapie, de cardiologie, voor de heelkunde en dus ook voor de gynaecologie..."
"Nou en..." had hij gereageerd "wat moet ik daarmee...?"
Terwijl ze zich van hem losmaakte had ze iets gemompeld dat ze het 'ongelooflijk' vond dat het maar niet tot hem wilde doordringen hoe bijzonder het aanbod van Marsman was.
"Over een half een jaar neemt hij mij in opleiding...en ga nou niet weer roepen 'nou en' maar bedenk iets originelers want het is echt bijzonder, zo'n kans."

Ze was intussen opgestaan en terwijl ze naast het twee bij twee bed stond en voelde hoe zijn eerder zo overvloedig gespoten sperma traag langs de binnenkant van haar dijen naar beneden sijpelde, besloot ze een nieuwe poging te wagen het hem uit te leggen.
"Er zijn veel meer assistenten die in opleiding willen dan dat er opleidingsplaatsen zijn. Het is dringen. En dan de eisen... de meesten willen dat je ook gaat promoveren tijdens de opleiding. Sterker nog; vaak moet je eerst gepromoveerd zijn voordat je sowieso in opleiding kunt komen."
Terwijl hij de dekens nog eens lekker optrok en zij zich steeds naakter voelde omdat ze het ook koud begon te krijgen in die kamer waar de verwarming zelden brandde en het raam altijd openstond hoorde zij hem vragen waarom ze niet gewoon in het OLVG ging solliciteren of in het AMC.. Want daar hebben ze toch ook gynaecologie. Hij wist het zeker. Zijn zus was er zelfs behandeld. En met succes. Ze kon geen kinderen krijgen en nu had ze er inmiddels twee en was de derde op komst... Allemaal IVF, toveren met eitjes. Zijn ze goed in daar. En hij was bijna vergeten te vertellen dat z'n eigen moeder er ook geopereerd was. En een kennis van zijn ouders... Het AMC zou toch veel makkelijker zijn, hoefde ze immers niet te verkassen naar Brabant, kon ze lekker in Amsterdam blijven.
"Daar is geen plek," had ze afgemeten geantwoord. "Bovendien," was ze verder gegaan "kun je veel beter in de periferie worden opgeleid dan in een academisch ziekenhuis. Tilburg is het grootste fertiliteitcentrum van Zuid Nederland. In het Zuiderstreekziekenhuis doen ze meer ivf-behandelingen dan in het AMC, meer

dan in Utrecht en Groningen... en ook op het gebied van gynaecologische ingrepen scoren ze hoog. Het is een van de vijf centra waar uitgebreide oncologische operaties worden gedaan. Dat zijn ingrepen die een grote operatieve vaardigheid en een uitgebreide ervaring vragen... En ik krijg de kans om daar in opleiding te komen. Dat is toch uniek. Je moet als assistent natuurlijk wel iets te doen hebben anders leer je het nooit..." had ze zich nader verklaard.

Hij was er niet op ingegaan, nee daarop niet, maar wel waarom de keus op haar gevallen was als er zoveel gegadigden waren en zo weinig plek...? Wat maakte haar meer geschikt dan die anderen die misschien minstens zo ambitieus waren als zij maar wellicht al waren 'gepromoveerd' – toen hij woord uitsprak, trok hij er een vies gezicht bij – wie weet ook meer ervaring hadden dan zij.

"Kan toch", was hij verder gegaan "want als ik één ding zeker weet, is het dat jij nul ervaring hebt..."

"Waarom Roos...?"

Ze beet op haar lip, zo hard dat ze bloed proefde.

"Waarom Roos...?, herhaalde hij nogmaals.

Ze had een hand op haar zorgvuldig getrimde driehoek gelegd, die plakkerig aanvoelde en vaag naar oester rook.

"Omdat," had ze hem geantwoord "Marsman de gynaecologie nóg meer wil feminiseren. Hoewel het in tegenstelling tot vroeger - gelukkig - geen mannenbastion meer is, vindt hij het hele vak nu eenmaal veel geschikter voor vrouwen dan voor mannen..."

"Toe nou Roos, het is gewoon een ouwe geilaard, ik wil ook wel een lekker wijf als collega-stukadoor."

Hij had haar gewenkt: "Kom eens hier meissie, kom 's hier nu het

nog kan..."
Even had ze getwijfeld of ze weer bij hem in bed zou kruipen. Maar ze had het niet gedaan.
"Ik ga douchen," had ze geroepen en terwijl ze richting badkamer liep, besloot ze om maar niet te zeggen dat haar moeder Marsman had gebeld. Dat Marsman eerder twee werken van haar moeder had gekocht, dat haar moeder in een record tempo, maar dat wist Marsman niet, een derde doek voor hem componeerde. Een doek van een buitengewoon formaat: twee bij twee maar wel voor een vriendenprijs...
Ze was er eigenlijk wel blij om dat Patrick haar ouders niet kende.

L'histoire se repète

HOOFDSTUK 11

Patiënten, patiënten...

Ferd hoefde niet te luisteren om te weten wat ze te vertellen had. Het was meer een kwestie van afstrepen. Jolanda B. had zo ongeveer alles al gehad. Nou ja...alles. Kanker was tot dusver aan haar voorbij gegaan maar verder...
Ze had geen 'gewone' klachten of kwalen van het soort dat het gros van zijn patiënten had en die met een pilletje, rust, een luisterend oor of desnoods een verwijzing naar hogerop vanzelf – de natuur geneest, de dokter kijkt toe - weer over gingen. Hij had zich ooit afgevraagd hóe ze het voor elkaar kreeg, maar dat ze het voor elkaar kreeg was duidelijk. Jolanda B. had een bijna eindeloze reeks operaties en kleinere en grotere chirurgische ingrepen achter de rug, en hij vermoedde dat als ze tijd van leven had, een veelvoud ervan in het verschiet lag.
Toen hij begreep dat ze weer een afspraak had - de vijfde binnen tien dagen - was onwillekeurig het zinnetje dat een van zijn vroegere opleiders geregeld bezigde door hem heen gegaan (en het was tevens het antwoord geweest op de vraag hóe ze het voor elkaar kreeg): Want wie maar lang genoeg klaagt wordt uiteindelijk een been afgezaagd... Zoiets. Nee, dat hoorde je misschien niet meer, maar het was nog wel zo. Men had het tegenwoordig over 'topzorg', productie, marktwerking, patiënten heten geen patiënten meer maar zorgconsumenten... Hoe meer eufemismen

hoe groter de ellende, wist hij.
Drie keer had hij op het punt gestaan om Gerard te bellen. Gerard van Westerik. Hij was een oud studiegenoot van hem. Ze hadden in hetzelfde jaar gezeten. Niet dat ze elkaar veel zagen, maar door de jaren heen hadden ze wel contact gehouden. Ze hadden elkaar bericht over de geboortes van hun kinderen, stuurden ieder jaar trouw kerstkaarten met daarin de beste wensen en de hoop elkaar e i n d e l i j k in het nieuwe jaar eens te treffen. Maar dat was er nog altijd niet van gekomen. Zelfs op de promotie van Gerard hadden De Donkervoortjes verstek laten gaan. Het viel midden in hun vakantie... Het was geen onwil. Van beide kanten niet. Maar de afstand speelde natuurlijk ook een rol. Zij zaten in het westen, Gerard woonde met zijn gezin in het zuiden, in een klein dorp vlakbij Maastricht, waar hij zich als psychiater had gevestigd.
“En?” had Ferd op neutrale toon gevraagd terwijl hij haar digitale status voor zich had. Jolande B. was onmiddellijk van wal gestoken. Ze was moeilijk te verstaan, sprak binnensmonds. Op zijn Broekerwaards. Maar dat maakte niet zoveel uit, hij wist toch wat er komen ging.
“Het get zo niet lenger... Dat zegt me man ook. Voor de kindere ken het ook niet...”
Hij liet haar praten en bestudeerde intussen haar status. Op basis daarvan, concludeerde hij, zou het dit keer weleens de knie kunnen zijn. De linker –of de rechter. Maar dat maakte niet zoveel uit. Als het deze keer de rechter was zou het volgend jaar de linker aan de beurt komen. Of omgedraaid.
“Die pien hè, die pien hè,” hoorde hij haar zeggen zonder te luisteren *“die is niet te houe...”*

Tien jaar eerder was ze aan een blaasverzakking geholpen. Het jaar daarop werd haar baarmoeder verwijderd. Kort daarna werd ze geplaagd door pijn rechts onderin de buik. Ze had zich op een woensdag op het ochtendspreekuur gemeld en gevraagd of het misschien niet haar blindedarm kon zijn.
"Ik denk het niet," had hij gezegd "maar het kan" . De zaterdag daarop had een dienstdoende collega-huisarts haar met spoed in het ziekenhuis laten opnemen waar ze aan een niet ontstoken appendix werd geopereerd. Omdat ze niet meer tegen koffie kon en evenmin tegen vet eten volgde er niet veel later een galblaasoperatie. Korte tijd later – ik vreet de hele dag deur Rennies - werd ze geopereerd aan een hernia diafragmatica: een scheurtje in het middenrif. Daarop volgde een operatie van de rechterschouder, daarna een van de linker. Bij fysiotherapie en pijnstillers, zoals hij iedere keer weer suggereerde, vond ze geen baat. De boodschap over het risico van veelvuldige narcoses vond bij haar evenmin gehoor.
"Ik ken me arm niet verder omheug krijge dan dit... ramelappe gett niet meer. Niet dat ik het leuk vind hoor, maar ik moet wel onder het mes..."
Zo ging het.
"Misschien kun je het eerst eens met een spalk proberen, ik heb er goeie resultaten van gezien" had hij voorgesteld toen ze een paar jaar eerder bij hem op het spreekuur was gekomen met klachten die op het Carpaal tunnelsyndroom leken te wijzen.
Drie dagen later zat ze weer in de spreekkamer. Het had niet geholpen. Ze geloofde er niet meer in. Dit kon zo niet langer doorgaan. Alles liet ze uit haar handen vallen. Laatst nog een pan

soep. Nog een geluk bij een ongeluk dat-ie niet heet was, anders had ze een derde graads verbranding opgelopen... Intussen had er ook nog een buikwandcorrectie plaatsgevonden en een borstverkleining.
En nu zat ze er weer. Hij luisterde niet naar wat ze zei omdat hij wist wat ze zou zeggen. Hij had het goed voorspeld. Het was dit keer de knie. De rechter. Terwijl hij een verwijsbrief voor de orthopeed schreef, had hij opgemerkt dat binnenkort de linker dan ook wel aan de beurt zou komen.
"Wat zeg je me nou?", was het er eerder verontwaardig dan vragend uitgekomen.
Hij had zijn opmerking herhaald en haar de verwijsbrief overhandigd. Ze had er enigszins verbouwereerd bij gestaan maar daar had hij geen acht opgeslagen. Met zachte doch dringende hand had hij haar uitgeleide gedaan om vervolgens een nieuwe patiënt te verwelkomen. "Jolanda B." zo besloot hij "hoefde hij niet meer te zien."

Solus com sola

(hij alleen met haar)

HOOFDSTUK 12

Matineus onthaal

Ze bekeek zichzelf in de spiegel van de badkamer. Bracht nog een extra laag mascara aan: Hypnôse drama. Stifte haar lippen:Yves St. Laurent - YSL - 52. Nog altijd haar favoriete kleur, deed haar nieuwe oorhangers in. Het waren lange, goudkleurige exemplaren van filigraan met een enigszins exotische uitstraling. Onlangs van Pieter gekregen. Meegebracht uit Marrakech waar hij samen met helaas Floortje een weekje op vakantie was geweest. Cathrien bekeek zichzelf nogmaals in de spiegel, op een spoortje Yves St. Laurent op haar tanden na, dat zich overigens moeiteloos liet wegpoetsen, was ze tevreden over het resultaat. Cowboylaarzen, een spijkerjack...Dat ze ooit, maar dat leek wel een mensenleven geleden, in een broekrok met bodywarmer had gelopen...
"Cathrien", er werd op de deur van de badkamer geklopt, "Cathrien", het was de stem van Ferd, hij klopte nogmaals op de deur. Harder dan die eerste keer...
" Waarom heb je in vredesnaam de deur op slot gedaan...? Dat doe je anders nooit. Ik moet er ook bij..." hoorde ze hem zeggen. Ze had de deur opengedaan. Hij had een stap naar voren gemaakt. Stond tegenover haar op de hardstenen drempel die badkamer van gang scheidde. Verwarde haren, nog ongeschoren, in een verwassen T-shirt, en een pyjamabroek die ze van lang geleden kende en waar ze zich toentertijd niet aan gestoord had. Integendeel. Maar

die ze nu een remedie tegen de liefde zou noemen.
" Wat er met jou aan de hand is, Cathrien, ik weet het niet, echt ik weet het niet, ik..." raspte zijn stem om vervolgens in een hoestbui over te gaan zodat ze rest van zijn woorden niet verstond.
"Zeker aangestoken door een van je patiënten," had ze hem bemoedigend toegesproken om hem vervolgens het antwoord op zijn vraag te geven.
" Met mij is niets aan de hand... Behalve dan," had ze erop laten volgen "dat ik een afspraak heb in Amsterdam met Arthur Bronstein. Ik hecht eraan," onwillekeurig had ze daarbij nog even een blik in de spiegel geworpen om vast te stellen dat haar nieuwe oorhangers haar inderdaad g e w e l d i g stonden, "om op tijd te komen..."
Hij had haar aangekeken met waterige ogen, snifte, had met dc bovenkant van zijn hand langs zijn snotterige neus gewreven.
" Dat is het niet Cathrien, dat is het niet... de afstand tussen ons..."
" Zoals je ziet is die niet meer dan een meter... ", had ze gereageerd. Ze had er geen zin in. In moeilijke gesprekken. Daar had ze nu absoluut geen tijd voor.
" Echt, ik moet zo weg...het is belangrijk voor me."
Hij sloeg geen acht op haar woorden maar vroeg met bijna iets panisch in zijn stem waarom ze vannacht weer op de logeerkamer had geslapen, net als de nacht daarvoor en die daarvoor...
"Omdat ik mijn rust nodig heb," had ze hem geantwoord, "en als jij verkouden bent snurk je nog harder dan gewoon. Doe verdomme geen oog dicht. Dat werkt niet...Mag ik nu alsjeblieft gaan, ik heb belangrijker zaken te doen dan een discussie over snurken..." en weg was ze geweest.

HOOFDSTUK 13

Business lunch

Ze had nog even in dubio gestaan of ze niet met de auto naar Amsterdam zou gaan – zulke goede ervaringen had ze niet met het spoor - maar had uiteindelijk toch voor de trein gekozen. De afstand station Purmerend en Broekerwaard, het was maar een kort stukje met de auto, zou zelfs na een rijkelijk met Chardonnay overgoten lunch te overzien zijn. Bovendien kon ze als ze eenmaal op het station stond altijd nog Ferd bellen... Hoe vaak had hij vroeger niet de rol van taxichauffeur vertolkt. Hij zou die rol, bedacht ze cynisch, nu ook met liefde vervullen.
"Dan is het misschien handig om in Dauphine af te spreken," had Susan Taylor Smith die graag meedacht met haar baas voorgesteld "ligt zo goed als naast het Amstelstation..."
Cathrien had haar laten weten dat ze het prima vond. Zoals ze bijna alles prima had gevonden tijdens die lunch die ergens rond twaalf uur begonnen was en tot een uur of vier had geduurd. Susan was halverwege afgehaakt. Ze had nog zoveel te doen. Een afspraak met een klant, bellen met New York, haar kind van de crèche halen... Susan, zo begreep Cathrien, was inmiddels wel gescheiden van de Amerikaan met wie ze ooit getrouwd was geweest maar ze had zijn naam gehouden. Evenals het Amerikaanse accent dat ze zich gedurende hun relatie had eigen gemaakt.
Terwijl Bronstein haar nog eens had bijgeschonken en zij haar lippen opnieuw bijwerkte met YSL 52 had hij haar laten weten dat het 'fabulous' was, dat ze het in New York zeker zou gaan

maken...
"Moet je eens lezen wat die kunstcriticus uit het Parool over je scheef, wat er in De Telegraaf stond, in NRC... dat laat ik trouwens door Susan vertalen." Over het plat fruits de mer heen - eigenlijk had ze liever french fries gehad - reikte hij haar het artikel aan.
Ze zette haar bril op, een van het Kruidvat, even dacht ze dat hij zijn wenkbrauwen fronste, maar dat kon ook verbeelding zijn geweest. Zelf droeg hij een retro-exemplaar, stijl Andy Warhol. Nee, dat was het niet. Hij wenkte de ober. Om meer brood, sparkling water. Van dat brood, besloot ze, moest ze zien af te blijven. Dat zette alleen maar aan. Terwijl zij zich over het artikel boog – door Bregje Severijns – hield hij zich bezig met het ontpantseren van een langoustine...
"Cathy..." ze hoorde hem niet, zag niet dat hij haar alweer wilde bijschenken, zo verdiept was ze in hetgeen ze las.

Lyrisch expressionisme in zijn zuiverste vorm

"Ze worden haast onder haar handen vandaan getrokken, haar trefzekere en onthullende inkijkjes in het rijke, lege leven van de partytijgers en de receptieverslaafden, de oesterslurpers en champageslobberaars, de mateloze schransers en de tomeloze drinkers, de dronkenmans aanbidders en de borrelbabbelaars, de hotemetoten en de nietsnutten, die zij inmiddels in honderden doeken heeft geportretteerd. Toch zijn het niet alleen maar opge-

blazen gebakken lucht verkopers die haar kleurige doeken bevolken. Cathrien Donkervoort zet haar figuren in hun onbewaakte ogenblikken met milde spot te kijk als hun kwetsbare en onzekere zelf, wanneer zij zich onbespied wanen, voor even proberen te ontsnappen uit een wereld waarin status, kennis, protocollen en macht hun gevangen houden. Lyrisch expressionisme in zijn zuiverste vorm.
Kijkend naar een schilderij van Cathrien zien we onszelf. Er is niets aan te doen, een glimlach om onze lippen en een giechel kruipt langs ons middenrif. Dáárom willen we haar doeken aan onze muren hebben. Omdat ze echt zijn..."

"Isn't it great...?" Terwijl Bronstein haar een oester aanreikte, blikte zijn bleekblauwe ogen haar vanachter zijn in een hoornen montuur gevatte brillenglazen zelfverzekerd aan.
"Geweldig," reageerde ze terwijl ze op hetzelfde moment haar hand in haar tas liet glijden om nogmaals de YSL 52 op te duiken waarbij ze onbedoeld op haar mobiel die op 'stil' stond stuitte. Drie gemiste oproepen, zag ze, en een SMS. Alle vier van Ferd. "Denk aan de wijn. Haal je van de trein. Bel 15 minuten voor je bij P. bent. F". Ze glimlachte krampachtig om haar ergernis, waar ze Bronstein geen deelgenoot van wilde maken, te verbergen. Ze was nog geen dag weg en hij had al drie keer gebeld, ge-sms't... Kon hij haar gewoon niet met rust laten, kon hij niet... Eigenlijk, als ze eerlijk was en dat was ze, zou ze het liefst...
"Something wrong?", Bronstein keek haar onderzoekend aan. Haar glimlach was blijkbaar niet overtuigend genoeg geweest.
"Nee, hoor, niets aan de hand," had ze hem gerustgesteld "dacht

alleen even dat ik mijn lipstick kwijt was..."
"En zonder dat ben je nergens hè...?" was hij haar tegemoet gekomen.
En vervolgens was Bronstein verder gegaan met het ontvouwen van zijn plannen, en werd Ferd gaandeweg steeds meer een quantité négligable.
Bronstein was van plan over drie maanden – drie maanden hij had het nogmaals herhaald en dat was kort dag maar hij wist dat ze een moordende productie had – haar kunstwerken in zijn nieuwe galerie in New York te lanceren. Kunst en commercie gingen bij hem hand in hand. Van doeken met populaire thema's, zoals variaties op *"White wine & blues"* en *"Red socks & blues"* zou hij zeefdrukken laten maken. Niet zomaar zeefdrukken maar de werken zouden direct op doek worden verlijmd waardoor er geen glas of lijst nodig was en ze als een 'echt' schilderij aan de muur konden.
"In goud gesigneerd," had hij haar toegefluisterd, "getiteld en genummerd door Cathrien Donkervoort en voor een hele goeie prijs..." Hij had de laatste oester van de schaal gepakt en zij had nog een slok van de Chardonnay genomen.
"Wat moest ze nog in die polder in Broekerwaard met een man die ze steeds vaker hoorde zeggen niet zonder haar te kunnen, die ... ," had Cathrien zichzelf afgevraagd terwijl ze toekeek hoe Bronstein de finale creuse gretig leegslurpte.
Vlak voordat ze vanochtend was vertrokken, herinnerde ze zich weer, had ze Ferd nog even toegeworpen dat hij er niet onverstandig aan deed eens naar een psychiater te gaan... Meer kon zij in ieder geval niet voor hem doen!

HOOFDSTUK 14

Assistenten...

Knarsetandend had Otto Diepenveen tijdens de wekelijks woensdagochtendvergadering aangehoord wat collega Marsman weer eens te melden had inzake de opleiding.
Sinds het hoogleraarschap aan Marsman voorbij was gegaan – na vruchteloos te hebben gesolliciteerd in zowel Leiden als Maastricht – had hij uiteindelijk genoegen moeten nemen met de functie van opleider in een perifere kliniek. Zijn ego had hierdoor een gevoelige tik gekregen. Dit had echter niet tot gevolg gehad dat hij zich wat bescheidener opstelde. Integendeel. Nog meer dan voorheen blies hij zichzelf op. Diepenveen vergeleek hem weleens met de brulkikkers die in het verleden onverhoopt bezit van zijn vijver hadden genomen. Net zo'n blaaskaak was Marsman. In stilte, Diepenveen sprak er niet over met anderen maar was ervan overtuigd dat velen er net zo over zouden denken, hoopte hij dat zijn collega door hetzelfde lot getroffen zou worden als zijn kikkers. Op een dag waren ze vanwege geluidsoverlast – hij had het over zich heen laten gaan, de buren hadden echter geklaagd dat het zo niet langer kon, gek werden ze ervan – afgevoerd door de gemeente.
Hoewel de opleiding gynaecologie en verloskunde een zaak van de hele maatschap was – naast Marsman zaten er nog vier gynaecologen in onder wie Diepenveen – zette hij in alle opzichten de toon. Zoals ook op die woensdagochtend het geval was. Hadden in het verleden de vergaderingen veelal 's avonds plaatsgevonden,

toen Marsman het voor het zeggen kreeg – hij was tevens voorzitter van de maatschap – waren ze naar de ochtend verplaatst. De tijd was dan beperkt, waardoor er, en dat was nu net de bedoeling, weinig ruimte voor discussie overbleef. Bovendien wist hij dat zijn felste opponent, Diepenveen, er geen zin in had om kort voor zijn spreekuur in een verhitte woordenstrijd te worden meegezogen. Diepenveen wilde zijn polikliniek in alle rust beginnen. Ook tijdens de operaties stelde hij prijs op rust. Maar dat was vaak nog moeilijker. Meestal stond de radio aan. En schalde er 100% NL, radio 2 of, al naar gelang wie er aan de knoppen zat, een opera van Verdi door de OK. En dat was niet het enige...
Het personeel op de OK was er niet alleen voor de patiënt maar ook, zoals Diepenveen al jaren geleden had vastgesteld, om - het was één van de secundaire arbeidsvoorwaarden - zich verbaal te ontladen. En dat kon over van alles zijn... een zieke schoonmoeder, een verbouwing, een niet vervulde kinderwens of juist wel, het weer, wie-het-met-wie deed, wie het met wie zou gaan doen, wie-het-met-wie-had-gedaan, zonbestemmingen, sneeuwzekere wintersportoorden. Over Griekenland, waar je beter niet meer naar toe kon gaan, en Turkije juist weer wel, of omgekeerd. Over China waar je geweest moest zijn, over kamperen in de Eiffel, de naturistencampings in Cap d' Agde en pech met de caravan onderweg...
Op het moment suprême van de operatie - zoals bijvoorbeeld het verwijderen van lymfknopen bij een hysterectomie - bereikten deze ontboezemingen ook vaak hun natuurlijk hoogtepunt.
In het verleden had Diepenveen hen wel gemaand om dan even – 'het is maar heel even hoor' was hij gewoon geweest te zeggen

– hun mond te houden. En dat hielp wel maar alleen, inderdaad, voor even. Heel even... Daarom had hij de oplossing bij zichzelf gezocht: de poëzie. Geluidloos debiteerde hij op zulke momenten zijn favoriete dichters. Campert, Kopland...

"Alles kan ik verdragen
het verdorren van bonen,
stervende bloemen, het hoekje
aardappelen kan ik met droge ogen
zien rooien, daar ben ik werkelijk hard in.
Maar jonge sla in september,
Net geplant, slap nog,
in vochtige bedjes, nee."

Zoals gebruikelijk was Marsman tijdens de wekelijkse ochtendvergadering driekwart van de tijd zelf aan het woord, bereed zijn bekende stokpaardjes, blies zichzelf op, en wees zijn maten terecht. Want de – voorzichtige – kritiek – die sommigen van hen op zijn voorzitterschap hadden geuit had hij ervaren als te ongezouten, weinig sportief en soms zelfs als achterbaks. Terwijl hij, Marsman... Hoe durfden ze. Een stelletje ondankbare honden waren het... Dat zei hij niet, maar daar kwam het wel op neer.
Omdat Diepenveen, als ervaringsdeskundige dacht te weten wat er nog meer op het programma stond, had hij een oud bundeltje genaamd *'Opwinden'* van Remco Campert ter hand genomen. Hij legde het echter weer ter zijde toen hij collega Marsman even later iets hoorde zeggen - hij wist niet eens dat het op de agenda stond – over de opleiding, het aannemen van nieuwe assistenten,

wie wel en wie niet in opleiding zou komen...
“Een belangrijk issue voor deze maatschap”, had hij zijn onderwerp ingeleid. “Voor nu en straks. We kunnen niet alles en iedereen in opleiding nemen. We moeten keuzes maken...”
Hoewel drie van de vijf maatschapsleden hun twijfels hadden over de chirurgische vaardigheden van Iwan, überhaupt over zijn kwaliteiten, was Marsman positief over hem.
“Ik zie hem zelfs als een toekomstig maatschapslid”, had hij zijn mening nog eens onderstreept.
“Mocht het ooit zo ver komen,” had Diepenveen nijdig gereageerd “dan maak ik gebruik van mijn vetorecht...”
Collega Kalmthout drukte zich, zoals gewoonlijk, wat genuanceerder uit. “Een prima vent die Iwan, een uitstekend assistent maar als zelfstandig operateur...Tja, en dan zijn communicatie, zijn Nederlands, is zacht uitgedrukt nog steeds niet wat het moet zijn...
Om erop te laten volgen dat aan zo’n gewichtig onderwerp als de opleiding en het aannemen van nieuwe assistenten wellicht wat meer tijd besteed moest worden...”
Maar Marsman luisterde al niet meer om vervolgens zijn inmiddels enigszins verbouwereerde collegae te laten weten dat hij wat betreft het aannemen van de nieuwe assistenten er eigenlijk uit was. Hoewel hij toegaf hierin misschien wat te solistisch te werk te zijn gegaan, bestond er binnen de maatschap, zoals bekend, in ieder geval over één ding consensus: de eerstkomende assistent in opleiding moest een vrouw zijn...
Terwijl de laatste regel van Camperts *‘Een vergeefs gedicht’* nog in zijn hoofd nagalmde, hoorde Diepenveen zichzelf ongewoon

fel reageren dat bij hem daar in ieder geval niets over bekend was. "Staat het ergens genotuleerd...? Zou het graag zien."
"Otto" klonk het quasi minzaam terwijl Marsman zich tot Diepenveen richtte "als jij tijdens onze vergaderingen er de voorkeur aan geeft gedichten te lezen, is het alleszins begrijpelijk dat het meeste dat hier ter tafel komt aan jou voorbijgaat... Dat geldt blijkbaar ook hiervoor." Hij blikte de kring zelfverzekerd rond.
"Ik vroeg je om de notulen..." antwoordde Diepenveen met ingehouden woede.. "Al is het mij ontgaan, dan moet zo'n voor onze maatschap belangrijk besluit toch ergens genotuleerd zijn..."
Van Kalmthout kuchte, Diepenveen bracht opnieuw die vermaledijde notulen ter sprake, terwijl collega Lim, die wel een voornaam had maar door iedereen bij zijn achternaam werd genoemd, er zoals gebruikelijk het zwijgen toe deed.

Drie operaties later – een simpele conisatie die hij door Van Beveren had laten doen, een zuigcurettage bij een incomplete miskraam en een verzakking bij een nog jonge vrouw – zat Diepenveen weer op de fiets op weg naar huis. Dat probeerde hij zo lang mogelijk vol te houden. Fietsen. Voor de broodnodige beweging. Maar meestal hield hij het eind november, begin december voor gezien. Dan had hij er geen trek meer in. Trappend in het donker, door weer en wind, dan maar liever de auto... Maar nu kon het nog net. Het was droog en er stond een frisse bries. Terwijl hij de dag die achter hem lag overdacht, kreeg hij steeds meer de pest in.
In zijn eentje, kon hij niet tegen Marsman op. Als hij zijn collegae onder vier ogen sprak dan zaten ze allemaal boordevol kritiek

op Marsman,... Hij was veel te autoritair, duldde geen inspraak, en dan vakinhoudelijk. Daar waren ze allerminst over te spreken. Uitermate conservatief, nauwelijks vernieuwend. Minimaal invasieve ingrepen, vond hij eigenlijk niet nodig. Zelfs bij jonge patiënten had hij een paar keer bij problematische vleesbomen zoals vroeger gebruikelijk was de baarmoeder verwijderd terwijl er ook een sparende operatie had kunnen plaatsvinden. Hoewel Diepenveen vond dat dit eigenlijk niet kon, dat het in feite obsoleet was, had Marsman betoogd dat dit de enige juiste methode was: anders staan ze binnen het jaar weer op de stoep met dezelfde klachten als voorheen... klopte Marsman zichzelf vooral op de borst dat hij de minste complicaties van iedereen had.
"Dat kan eigenlijk niet hè...Wist je trouwens dat het een van de redenen is dat sommige huisartsen hun patiënten niet meer naar ons centrum verwijzen," liet collega Kalmthout zich geregeld ontvallen als hij buiten gehoorsafstand van Marsman was...
En nu was er weer dit akkefietje, Diepenveen vloekte hardop, er was toch niemand die hem hoorde. Niet alleen daarom maar ook omdat het begonnen was te regenen.
Vier van de vijf maatschapsleden hadden hun voorkeur uitgesproken voor Van Beveren. Hij was nu ruim een anderhalf jaar bij hun als AGNIO. Hij was handig, ambitieus, bezig met een promotieonderzoek naar het laparoscopisch opereren van endometriose. Kortom, een geschikte kandidaat. Maar dus niet voor Marsman. Nee, die vond hem hautain, met neiging tot prima donna gedrag, en bovenal het was een man...
Jean Kalmthout, ja zo kende hij hem weer, was onder zacht protest akkoord gegaan met de keuze van Marsman.

Non-argumenten had hij aangevoerd: "Als-ie dan maar straks bij de volgende ronde aan bod komt... Hij is nog jong, kan hij nog meer ervaring opdoen."
Terwijl het steeds harder begon te regenen, werd Diepenveen nog kwaaier als hij eraan terugdacht.
Van Beveren inruilen tegen een meisje dat een maandje stage had gelopen bij de plastische chirurgie, een paar weken had rondgelopen op de spoedeisende hulp...Vers van de schoolbanken, wist van toeten noch blazen maar moest wel zo nodig g y n a e c o- l o o g worden. Hij had niks tegen vrouwen in het vak. Sterker nog, bij gelijke geschiktheid zou zijn voorkeur ook naar een vrouw zijn uitgegaan. In dit geval was daar echter geen sprake van. Integendeel zelfs. Maar talent had ze, volgens Marsman, ze was gedreven, ze was...
De regen sloeg nu hard in zijn gezicht, hij vloekte weer, nog even een tandje bijzetten, kon hij net voor het stoplicht op rood sprong, blijven doortrappen zonder vaart te hoeven minderen... Hij zag hoe het groene licht verschoof naar oranje en op hetzelfde moment voelde hij aan de plotseling verplaatsing van de luchtdruk rechts van hem dat hij werd gepasseerd door een motorrijder die hetzelfde van plan was. Met brullende motoren werd hij ingehaald, hij remde af, hield stil, De motorrijder gaf nog een extra dot gas, scheurde door een plas waardoor Diepenveen op een douche werd getrakteerd, om vervolgens door rood te rijden. "Klootzak", had hij geroepen terwijl hij opkeek, en in de paar seconden had hij hem herkend. Het was Marsman op zijn motor.

O glücklich, wer noch hoffen kann

HOOFDSTUK 15

Meer van hetzelfde...

Ferd had even zijn wenkbrauwen opgetrokken toen hij haar naam las. Evelien van Velzen. "Evelien...?" Ze had blijkbaar een afspraak met hem. Niets voor haar. 'Blakend van gezondheid' zo lang hij haar kende was dat etiket op haar van toepassing geweest. Ze was ongeveer net zo lang patiënt van hem als hij zijn praktijk in Broekerwaard had. Maar hij zag haar zelden. Tenminste in de praktijk. Wel daar buiten. Toen de kinderen nog klein waren op het hockeyveld. Op feestjes van gezamenlijke kennissen in het Broekerwoudse, met de honden in het bos. De Van Velzens waren er min of meer gelijktijdig komen wonen. Een jong gezin net als dat van hen toentertijd. Daarom had Evelien er de voorkeur aangegeven om zich in zijn praktijk te laten inschrijven.
"Praat toch wat makkelijker," had ze gevonden. "Zo'n beetje dezelfde generatie, kinderen van dezelfde leeftijd..." Vond hij ook. Hij was blij met iedere nieuwe patiënt die zich aanmeldde. Dat was vijfentwintig jaar geleden.
"Mevrouw Van Velzen..." de assistente had haar in de spreekkamer binnengelaten. Op hetzelfde moment was het tot hem doorgedrongen waarom ze hier was. Zeer waarschijnlijk was. Stom dat hij daar niet eerder aan had gedacht...
Drie maanden geleden, nee, langer geleden, hij zag het staan, een half jaar terug was ze hier ook geweest. Samen met Her-

man. Haar man. En om Herman ging het. Toen. Het was daags na zijn verjaardag. Op de borrel ter gelegenheid daarvan waren hun vrienden en kennissen met het glas in de hand unaniem, zo had Evelien laten weten, in hun oordeel geweest.
"Herman, wat voor dieet heb jij gevolgd...?"
"Gestopt met snoepen," had Herman zijn gewichtsverlies van dertien kilo verklaard.
"Laat me niet lachen," had de een geroepen. "Weet je wat jij moet doen," had een ander gevonden "morgen gelijk naar de dokter gaan..." En allemaal, daar waren ze het roerend over eens geweest, gaven ze erin verschillende bewoordingen blijk van zich zorgen te maken over Herman, ernstige zorgen... Om zich vervolgens nog eens te laten bij schenken, een bitterballetje weg te happen, een toastje te smeren...
"Nog een pilsje Willem Jan...?
"Wit wijntje Pien...?
Wat ze niet zeiden, maar wat ze wel dachten, was dat het op z'n minst opmerkelijk was dat Evelien blijkbaar niets in de gaten had gehad. Dat Herman, jarenlang aanvoerder van hún hockeyteam – veteranen II - , nog maar een schaduw van zichzelf was. Dat buitenstaanders haar daar op hadden moeten wijzen...
En nu zat Evelien tegenover hem aan zijn bureau.
Ze was gelijk met de deur in huis gevallen.
"Schrijf me alsjeblieft een slaapmiddel voor waarmee je een paard onder zeil kunt brengen want ik doe 's nachts geen oog meer dicht. Hooguit twee, drie uur en dan begin ik weer te malen... En overdag," was ze verder gegaan, "ben ik moe. Doodmoe. Laatst had ik een bijna-aanrijding. Op de A2. Schrok wakker van

het aanhoudend geclaxoneer. Was bezig een medeweggebruiker in de vangrail te drukken... Op een haar na was het gelukt."
Ze glimlachte triest. De kleine, fijne lijntjes aan weerszijden van haar mond waren bijna-groeven geworden. In zes maanden tijd. Bijna een half jaar geleden was bij Herman kanker van de dunne darm vastgesteld. Inoperabel.
"Als we er eerder bij waren geweest, had-ie nog een kans gehad hè," Evelien had hem vragend aangekeken.
"Hij heeft nog steeds een kans...alleen was opereren geen optie meer," had hij haar uitgelegd, "daarvoor was de tumor te ver uitgezaaid. Uitzaaiingen in de longen, de milt... Maar het is in ieder geval heel positief dat hij zo goed reageert op de chemo. Twee van de drie tumoren zijn bezig te verschrompelen, de ander is niet groter geworden."
"Ik vind het vooral zo erg voor de kinderen..." Hij zag dat ze op haar lip beet.
"Voor de kinderen," zei ze weer "is het 't ergst."
Langs haar wang baande een traan zich een kronkelend weggetje door haar slordig aangebrachte make-up.
"Vooral voor Max, vind ik het zo erg, die heeft hem nog zo nodig..."
Hij hoorde een onderdrukte snik, en nog een. Werktuigelijk ging zijn hand naar de lade van zijn bureau waar de tissues lagen. Hij reikte haar er een aan. Terwijl ze haar ogen droog depte, hoorde hij haar tussen het snikken door zeggen dat ze kort voor het 'doodvonnis' zoals zij het noemde had willen scheiden. Er was wel een ander maar dat was niet de reden geweest. Een dag na de diagnose had ze een eind aan die relatie gemaakt. Dat kon ze de

kinderen niet ook nog eens aandoen...
“Misschien kun je dit eens proberen,” had hij voorgesteld “cinnipirine, het is een nieuw middel op basis van melatonine...”
“Dat zijn toch van die tabletjes die je gewoon bij de drogist kunt kopen en waar je vooral in moet geloven, willen ze werken...” had het vermoeid geklonken.
“Ferd, begrijp het dan toch...ik wil s l a p e n, echt slapen. Zodat ik er weer tegen aan kan: de kinderen opvangen, een zieke man verzorgen en niet als een zombie door het huis dwalen...”
Ze zijn twintig keer zo sterk als de slaaptabletten die je bij de Etos haalt, had hij haar overtuigd om eraan toe te voegen dat hij het recept naar de apotheek zou mailen. Nee, verder had ze hem weliswaar vermoeid maar beslist laten weten hoefde hij niets voor haar te doen. (Wat zou hij überhaupt voor haar kunnen doen dacht hij van haar gezicht te lezen... een gevoel overigens dat hij bij de meeste patiënten steeds vaker had)
Toen Evelien de spreekkamer had verlaten, deed Ferd opnieuw een greep in de lade van zijn bureau. Niet om een tissue te pakken maar nog een Oxazepam.

HOOFDSTUK 16

Make my dreams come true…

"Schilderen is voor mij een passie, een onbedwingbare behoefte om mij uit te drukken in kleur en beweging..." had Cathrien gezegd tegen de journaliste die haar interviewde voor het grootste vrouwenblad van Nederland. Ze zaten in haar atelier dat uitkeek op de tuin die bijna in herfstkleed was. Paarse sedum, de haagbeuk die bezig was haar blad te verliezen, een overgeschoten roos die manmoedig stand probeerde te houden in de wind...
"En niets of niemand komt daartussen en zeker mijn man niet," had ze eraan toe willen voegen maar deed het niet. Het interview was per slot van rekening bestemd voor een vrouwenblad. En de lezeressen daarvan moeten in illusies blijven geloven...*in drie weken tijd weer een bikinifiguur. Vijftig is het nieuwe veertig...* Dat soort dingen.
"Wat woont u hier prachtig," had de journaliste gezegd terwijl Cathrien haar een glas verse muntthee serveerde met een punt zelfgebakken citroentaart. Natuurlijk, had ze niet kunnen ontkennen dat het hier inderdaad mooi wonen was.
"U heeft hier ook alle rust om te werken..." was de journaliste verder gegaan met vragen die er nauwelijks toe deden.
"Of ze nog dromen had...?"
"Voor mij is in ieder geval één droom uitgekomen," had Cathrien gezegd, "en dat was toen Arhur Bronstein me voor zijn AMERICAN GALLERY vroeg... Hij is eh, ik wil niet aanmatigend doen hoor, maar hij is wel één van de grote namen uit de heden-

daagse Amerikaanse kunstwereld. Zijn rol", had ze er vervolgens licht blozend en in alle bescheidenheid aan toegevoegd, "is enigszins te vergelijken met die van Andy Warhol in de jaren zestig. Kunst dichter bij eh het grote publiek, de consument brengen... Bronstein maakt geen onderscheid tussen hoge en lage kunst... De populaire cultuur hoeft in zijn visie niet onder te doen voor de artistieke cultuur. Ook populaire cultuur kan mensen schokken en verrassen, tot nadenken stemmen..."

"Geweldig toch..." reageerde de journaliste "die filosofie van hem sluit dan ook naadloos aan bij onze lezersactie. "

Ook dat had Arthur Bronstein geregeld. De abonnees van 'JASMIJN', konden tegen een schijnbaar uiterst aantrekkelijke prijs – 250 euro – in het bezit komen van een door de kunstenares gesigneerde zeefdruk van of *'Your hand in mine'* (100-120cm) dan wel van *'Empty glasses'* (80-120 cm).

En dat was nog niet alles... Er kon ook nog eens gepuzzeld worden – tegenwoordig kon je niet meer zonder - voor het goeie doel. Vijf weken achtereen zou er in de JASMIJN een kruiswoordpuzzel verschijnen met als thema K U N S T . Zoals, bijvoorbeeld – verticaal - de negenletterige naam van een beroemde Nederlandse schilder uit de zeventiende eeuw of, horizontaal het antwoord op de vraag waar Paul Gauguin zijn laatste levensjaren had doorgebracht, wie 'De schreeuw' geschilderd had, welke bloem een hoofdrol speelde in het werk van Van Gogh... Van dat soort dingen. De goede oplossingen dienden gemaild te worden naar de redactie van JASMIJN met een eenmalige bankmachtiging voor het afschrijven van tenminste 10 euro....

Onder de inzenders van de juiste oplossing zouden de originele

doeken 'Your hand in mine' en 'Empty glasses' beide acryl op linnen worden verloot.
De opbrengst van de puzzelactie zou ten goede komen aan een kinderdorp in India ten behoeve van scholing en het slaan van waterputten.
"Dat vind ik eigenlijk het allermooiste," had Cathrien gezegd, "dat ik aan de toekomst van deze kinderen mijn steentje mag bijdragen. Want kinderen hebben de toekomst."
De journaliste had het integraal overgenomen in het Jasmijn-interview:
"IN GESPREK MET EEN BEVLOGEN KUNSTENARES... CATHRIEN DONKERVOORT..."

Die Schwierigkeiten wachsen, je näher man dem Ziele kommt...

HOOFDSTUK 17

Twijfels...

"Ik heb m'n kamer opgezegd..." zei Roos tegen hem. "Nou ja, voorlopig dan..."
"Hoe bedoel je 'voorlopig'," fluisterde Patrick in haar oor, terwijl hij zachtjes in haar oorlelletje beet, ze voelde een siddering door zich heen gaan. "Je zou hem toch aanhouden..."
"Ik heb eigenlijk geen tijd," had ze gezegd, "nog zoveel te doen."
"Daar heb ik geen boodschap aan", was zijn antwoord geweest om haar vervolgens nog dichter tegen zich aan te drukken. Niet hard maar wel beslist. Net als die eerste keer stonden ze ook nu in zijn werkplaats. Terwijl hij met zijn ene hand haar haar streelde, dimde hij met de andere het licht. De Harley Davidson van toen had plaatsgemaakt voor een Kawasaki.
"Van een vriend van me," had hij gemompeld toen hij zag dat haar blik erop viel.
"Moet een beurt hebben..."
Ze had hem echt willen zeggen dat ze moest gaan. Ze had een afspraak met een medestudente, een coassistente die nog een aantal coschappen moest lopen in twee verschillende ziekenhuizen in Amsterdam, en die graag haar kamer wilde huren. For the time being. Voorlopig. Voor een half jaar... Ze durfde hem nog niet definitief op te zeggen. Stel dat het niet zou lukken in Tilburg

dan moest ze terug...En zo'n kamer als deze, in een oud, sfeervol maar wel gerenoveerd pand in Oud-Zuid en ook nog eens tegen een alleszins redelijke huur die vond je niet zomaar...
Ze had hem willen zeggen dat ze nog een soort van huurcontractje moest opstellen, dat ze haar kamer zou moeten leeghalen, dat ze...
Maar hij snoerde haar de mond. Hij drukte zijn lippen op de hare, als vanzelf gingen ze uiteen, zijn tong gleed naar binnen...Zijn handen trokken geroutineerd haar slipje opzij, zijn vingers hoefde haar maar even aan te raken. Nee, daar kon ze geen weerstand aan bieden. Zachtjes kreunde ze... hij tilde haar op, fluisterde net als die eerste keer in haar oor dat ze zo lekker licht was, om haar vervolgens naar de slaapkamer te dragen, op bed te leggen en zich in haar te verliezen...
Een kleine twee uur later was ze voorzichtig opgestaan om hem niet wakker te maken. Maar blijkbaar was ze niet voorzichtig genoeg geweest want toen ze op haar tenen naar het badkamertje was geslopen en de deur, die bij het opendoen altijd halverwege piepte, had ze hem horen roepen. Ze had niet geantwoord..
In de spiegel boven de wastafel zag ze dat haar mascara behoorlijk uitgelopen was. Vervelend nou dat ze geen roller bij zich had om haar wimpers van een nieuw laagje te voorzien maar nóg vervelender vond ze het toen ze zag dat er een adertje gesprongen was in haar rechteroog. Het wit was bloeddoorlopen.
"Roos..." klonk het ongeduldig.
Terwijl ze haar oog nogmaals in de spiegel inspecteerde, kwam haar 'jaha...ik kom er zo aan' er enigszins geërgerd uit.
"Ga je koffie zetten...?"

Ze had haar hoofd om de deur van het badkamertje gestoken en hem gezegd dat haar ene oog er zo raar uitzag.
De enige handdoek die er hing had ze om zich heen geslagen.
“Moet je eens kijken, Patrick” had ze gezegd terwijl ze naar hem toeliep. Hij zat rechtop in bed. Zijn haar verward, een onaangestoken sigaret tussen zijn lippen.
“Verdomme, waar is mijn aansteker nou...?”
“Hier” zei ze en bukte zich om hem van de grond te rapen “zeker uit je broek gevallen...”
Ze wilde hem aanreiken, maar hij boog zich met de sigaret nog altijd tussen zijn lippen naar voren. De boodschap was duidelijk: ze gaf hem een vuurtje. Ze hoorde hoe hij vol genot de rook naar binnen zoog.
“Zie je wel dat ik tóch gelijk heb gekregen...”
Ze knikte maar had er wel aan toegevoegd dat dit een uitzondering was. Toen ze hem net kende was ze uiteraard over dat roken van hem begonnen, dat hij daar maar beter mee kon stoppen.
“Geen haar op mijn hoofd...” had hij gereageerd.
“Zal ik jou eens wat zeggen,” was hij verder gegaan “straks steek je ze nog voor me aan...”
“Dat nooit” had ze fanatiek geroepen en nu was het inderdaad zo ver.
“Ga maar koffie zetten ,” had hij plagerig gecommandeerd “want daar heb ik nu echt behoefte aan...” Dus was ze nog steeds met de handdoek om zich heen geslagen richting keuken gelopen om aan zijn verzoek te voldoen. Een dubbele espresso voor hem en een ‘gewone’ voor haar.
Door het keukenraam zag ze, dat het inmiddels was gaan sche-

meren. Het was kwart over vijf, ze had om half vier een afspraak gehad. Terwijl de geur van de espresso zich door de keuken verspreidde, stond ze zich te bedenken wat voor smoes ze zou verzinnen voor het feit dat ze haar afspraak niet nagekomen was. Misschien was het beter om toch maar...
Toen ze even later de slaapkamer binnenkwam met een dienblad met daarop twee espresso, zag ze dat Patrick nog steeds lag te roken. Hij blies geconcentreerd ringetjes de lucht in. Zo geconcentreerd dat hij niet eens in de gaten dat ze alweer naast hem stond met een blad espresso.
"Patrick..." hij keek op, aangenaam verrast, nam de dubbele espresso van het dienblad om de hete zwarte vloeistof in één keer achterover te slaan terwijl zij voorzichtig van de hare nipte.
"Patrick, weet je, ik heb een besluit genomen... ik denk toch maar dat ik die kamer, mijn kamer..."
Terwijl ze nog steeds naast het bed stond, maakte hij de handdoek die ze nog steeds omgeslagen had, met een rukje los en trok haar naar zich toe.
Voorzichtig beroerde hij met zijn mond haar borsten. Likte haar ene tepel, beet zachtjes in de andere. Zoog eraan. De een, de ander, dan weer de een...ze werden hard, zo hard.
Het lijken wel diamantjes had hij gezegd...

HOOFDSTUK 18

Adieu...

Het moest er nu maar eens van komen. Hij had al zo vaak op het punt gestaan hem te bellen. Telkens weer was er iets tussengekomen. Nou ja, tussengekomen... Nee, dat was niet de juiste omschrijving. Hij voelde een zekere gêne om hem te bellen. Hij herinnerde zich die keer dat hij negen van de tien cijfers van zijn telefoonnummer had ingetoetst om er uiteindelijk toch maar van af te zien een verbinding tot stand te brengen...
De vage gêne die hij had gehad terwijl hij de telefoon in zijn hand hield, was in luttele seconden uitgegroeid tot een gevoel van schaamte. Moest hij daar nu een vroegere studiegenoot mee belasten? Alsof er in Noord-Holland geen psychiaters waren. Alsof...Hij was zelfs nog te beroerd geweest om op zijn promotie te komen...
Maar Ferd constateerde ook die vrijdagmiddag in november terwijl de regen tegen de ramen van de praktijk gutste en de wind rond het huis huilde dat hij inmiddels de schaamte voorbij was.
Hij vond het nummer van Gerard van Westerik in een oude agenda. Toen Ferd vijfentwintig jaar geleden met de praktijk was begonnen, had hij er een gewoonte van gemaakt alle jaargangen te bewaren. Een enkele keer bladerde hij ze door. Een sentimental journey, noemde hij het. Maar de laatste jaren deed hij dat vooral niet te vaak. De aantekeningen, de afspraken die hij destijds had genoteerd gaven hem het gevoel alsof het leven toentertijd van een overzichtelijke en ongecompliceerde eenvoud was geweest.

Dat kon natuurlijk niet, moest een illusie zijn geweest maar het leek desondanks wel zo. Nog steeds. Luchthartig, lichtvoetig, zorgeloos...Een jubileum van de plaatselijke Rotary mèt partners, kerstborrel van de jachtvereniging, afzwemmen Roos, diploma-uitreiking Floortje, een etentje ter gelegenheid van hun twaalfeneenhalfjarig huwelijk, drie weken vakantie in Domburg, de eerste skivakantie in Oostenrijk... Och ja, toentertijd was Cathy nog gewoon Cathy geweest, van THE AMERICAN GALLERY had niemand ooit gehoord, laat staan van Arthur Bronstein en New York was ver weg...

Ondanks de wind en de regen die buiten huishielden, was het binnen stil. Bijna doodstil. Hoewel hij met een aan zekerheid grenzende waarschijnlijkheid vermoedde dat Cathrien in haar atelier in een moordend tempo bezig was de productie te halen voor haar komende exposities. Eerst nog Amsterdam, dan New York, dan...

"M'n tweede ik kan zich eindelijk ontplooien..." had ze geroepen. Een lichte huivering trok door hem heen op het moment dat hij het nummer van Gerard intoetste.

Net toen hij de hoorn wilde neerleggen en besloten had het dan maar op een ander tijdstip te proberen werd er opgenomen.

"Vera van Westrik..." hoorde hij zeggen. Een vlakke stem. "Van Westrik", klonk het weer.

Nee, daar had hij niet op gerekend. Hij was er al die tijd van uitgegaan gewoon direct Gerard aan de lijn te krijgen en nu had hij zijn vrouw. God, Vera... Hij herinnerde zich haar vaag. Donker met een grote Nana Mouskouri bril. Zat ook in de verpleging. Net als Cathy destijds.

Nadat hij hakkelend gezegd had wie hij was, zelfs tot twee keer toe gestruikeld was over zijn eigen achternaam, bleef het even stil aan de andere kant van de lijn...
“Oh ja nu weet ik het weer... Ferd, een jaargenoot van Gerard tóch, Ferdy van Cathrien..?.”
Hij liet haar weten dat dat inderdaad het geval was en dat hij het knap van haar vond (of was dat misschien wat bevoogdend geweest) dat ze nog wist wie hij was. Ze ging er niet op in maar zei hem dat hij waarschijnlijk Gerard had willen spreken maar dat dat helaas niet ging.
“Wat later op de dag,” had hij gesuggereerd. “Vanavond misschien, morgen...”
“Dat gaat niet meer,” herhaalde ze. “Gerard is vorig jaar mei overleden...”
Die mededeling had hem zo overrompeld dat hij alleen nog maar wat had kunnen stamelen. Iets van sorry en wat daar op leek.
“Je hoeft je niet te verontschuldigen,” had ze gezegd. “Je kon het ook niet weten. We hebben geen rouwkaarten verstuurd, geen advertenties geplaatst. We hebben hem in besloten kring begraven...”
Opeens schoot het hem te binnen dat hij afgelopen kerst nog tegen Cathrien had gezegd dat hij het opmerkelijk vond dat ze voor het eerst in al die jaren geen kaart van de Van Westeriks hadden gekregen...
“Nou, dan hoeven wij er ook niet een te sturen...” had ze gevonden. Hij was er verder niet meer op teruggekomen.
“ Wat spijt me dat, wat vind ik dat erg om te horen...” had hij gereageerd.

“Het kwam niet onverwacht,” had ze weer gezegd met die vlakke stem waaruit elke emotie gebannen was.
“Gerard leed aan het leven... al heel lang,” was ze verder gegaan. “Hij werd gekweld door schuld en schaamte. Dat had hij vroeger al. Maar niet zo erg als later. Daarom wilde hij ook psychiater worden.”
Hij hoorde een hoog, nerveus lachje aan de andere kant van de lijn.
“Dus moest hij medicijnen studeren. De pathologische anatomie was een crime voor hem. Hij kon er niet tegen. Viel geregeld flauw in de snijzaal. Hij vertelde me dat hij iedere keer weer beroerd werd wanneer hij in een open borstkas keek, darmen uit een buik zag halen... Maar ja, zonder artsexamen kon hij geen psychiater worden. En dat was zijn opdracht. Doorzetten dus...”
“Dat heb ik nooit geweten,” had Ferd gezegd. “Wist niet dat hij er zo’n moeite mee had...”
Ook dat had hij volgens Vera niet kunnen weten. “Juist omdat hij er zo’n weerzin tegen had, bang was over dat vak te struikelen,” vertelde ze “ging Gerard als het even kon naar secties. Die intensieve bemoeienis met de pathologische anatomie,” voor het eerst hoorde hij iets van emotie in haar stem, van voorzichtige trots, “bezorgde hem een cum laude voor het artsexamen...”
Nee, dacht Ferd bij zichzelf, dat kon hij niet beweren, hij was een mediocre student geweest. Interne geneeskunde, een van de grote vakken, had hij zelfs twee keer moeten doen. Een hertentamen. Een warme zomer lang, had hij, terwijl Nederland zich opmaakte voor de finale van de WK in Argentinië, zich opnieuw over de boeken gebogen...

Kort daarna zou hij Cathrien leren kennen. In het ziekenhuis waar zij werkte en hij coschappen liep.
“Ferd,” hij hoorde weer de stem van Vera, “waarom wilde je Gerard eigenlijk spreken...?”
“Omdat,” hij zocht naar de juiste woorden, “ik het gevoel had dat Gerard mij zou kunnen helpen... had kunnen helpen. Als psychiater dan... maar daarvoor is het nu te laat.”

Der Vorhang fällt, das Stück ist aus...

HOOFDSTUK 19

Aan tafel....

"Je mag best een beetje trots op haar zijn..." had Cathrien Ferd enigszins verwijtend toegesproken. "En misschien zelfs wel meer dan een beetje," had ze eraan toegevoegd. Berustend had hij gezegd dat hij dat ook was: trots. Maar hij had niet kunnen nalaten op te merken dat hij dat ook op de anderen was. Op Pieter, op Iris.
"Dat roep je wel," had Cathrien gevonden terwijl ze de door Ferd bereide spaghetti putanesca rond haar vork draaide, "maar zo klink je niet... Je klinkt alsof het je helemaal niet kan schelen. Geen greintje enthousiasme. Dat heb je trouwens ook niet voor mijn werk."
"Sorry, ik meen het oprecht, maar als jij het anders wil interpreteren..." had hij gelaten geantwoord.
"Roos gaat tenminste ergens voor, daar hou ik van. Zo ben ik zelf ook. Voor haar is ambitie geen vies woord..."
Hoewel Ferd had willen zeggen dat het dat voor hem ook niet was, had hij daarvoor de kans niet gekregen. Cathrien was aan een soort van tirade begonnen om via Roos weer bij zichzelf uit te komen waarbij ze Ferd in haar kielzog meenam...
"Ik sta iedere dag met het vreugdevolle gevoel op: ha ik mag weer schilderen..." was ze verder gaan "bij jou zie ik vooral: verschrikkelijk ik moet weer naar de praktijk...Ik voel me, ben k u n s t e - n a a r...in elke vezel van mijn wezen maar wat jij voelt en bent.." .

Cathrien had het misschien niet exact zo gezegd, maar daar was het voor hem in ieder geval wel op neergekomen. Het was een kantelpunt geweest. Weer een kantelpunt...besefte hij... zij stond voor succes, hij was een loser... En daarin, zo vond hij, had ze gelijk.
H e l e m a a l gelijk. Langzaam stond hij van tafel op, dacht terug aan de tijd dat hij haar had leren kennen. Leerling-verpleegster was ze geweest. Daar wilde ze nu niet meer aan herinnerd worden. Hij had haar meegenomen naar het Stedelijk. Het was de eerste keer dat ze een museum van binnen zag, hij had haar mee uit eten genomen, bij haar thuis aten ze niet in restaurants, hij had haar...
Hoewel haar bord met de pasta putanesca nog halfvol was, schoof ze het naar voren, legde het bestek er kruiselings op.
"Het is te veel," had ze zich nader verklaard terwijl ze nog een slok van de wijn nam "koolhydraten daar word je alleen maar dik van..."
Schijnbaar rustig had hij haar bord van tafel genomen. Inderdaad schijnbaar.
Wat had ze nog meer gezegd: Broekerwaard was te klein voor haar, Bronstein had het ook gevonden...een atelier in Amsterdam. In ieder geval. Ze moest zich in het centrum bewegen niet in de periferie. New York. Een laatbloeier was ze, daarom moest ze juist nu haar talenten alle ruimte geven, geen tijd verliezen, doorbreken...Oh ja, ze zou nog wel wachten tot het huwelijk van Iris, wilde geen spelbreekster zijn...maar dan. Wat moest ze hier met al die opgeknipte koppen, met de-vrouwen-van, met die grijze respectabiliteitskapsels...ze was hen hopeloos ontgroeid.

“Een huwelijk,” zo had ze gepsychologiseerd “kent verschillende fasen...”
Hij had nog steeds met het bord in zijn handen gestaan terwijl haar woorden steeds meer grip op hem kregen, tot hem doordrongen, hem langzaam maar zeker in paniek brachten. Hij had het nog niet gehoord, maar wist dat ze het zou zeggen dat hun huwelijk, haar huwelijk met hem in de laatste fase zat...
“Nee” hoorde, hij zichzelf schreeuwen terwijl hij op hetzelfde moment het halfvolle bord tegen de muur smeet, “nee”, riep hij weer terwijl hij met de schaal met pasta putanesca die nog op tafel stond hetzelfde deed. Cathrien had haar ogen dichtgeknepen. Dit geluid kende ze niet. Het geluid van brekend glas op de hardstenen tegels, het geluid van de scherven van haar bord – een kardinaalshoed –, de spaghetti die traag naar beneden gleed, de tomaatrode saus die van de citroengeel getexte muur droop. Nee, dat kende ze niet, zo kende ze Ferd niet...
Als ze opstaat om de keuken te verlaten, hoort ze hem zeggen dat hij de rommel opruimt en terwijl ze zich naar hem omdraait ziet ze dat hij huilt.

Words, words, words...

HOOFDSTUK 20

Overpeinzingen...

Diepenveen had zich in zijn kamer opgesloten. Nou ja opgesloten...de deur was dicht maar stond figuurlijk, zoals hij zijn maten iedere keer weer liet weten, open. Hij had er alleen geen zin in, zijn goed recht, om als hij aan het werk was, in gesprek, digitaal zijn vakantie regelde, aan de telefoon zat, de MAKRO-krant op aanbiedingen doorbladerde of gewoon wat zat te suffen door iedereen – collegae, assistenten, secretaresses – die langs kwam te worden aangestaard. En dan, dat lag in het verlengde daarvan, naar deze en gene een hand te moeten op te steken, iets te roepen in de trant van 'alles goed'. Nee, daar bedankte hij voor. Door deze houding had hij zich het imago verworven weinig communicatief te zijn.
Een dichte deur nodigt niet uit om naar binnen te gaan werd hem dan ook geregeld verweten als er weer eens een groepssessie onder leiding van een of andere goog ergens op de hei werd gehouden. In het verleden hield men zulke sessies veelvuldig, de laatste jaren minder frequent. Het kostte veel geld en loste weinig op. Marsman bleef wie hij was, - een despoot fluisterde Kalmthout als niemand het kon horen - en dat gold ook voor de rest. Ook het feit dat dergelijke sessies meestal in het weekend plaatsvonden, maakten ze er niet populairder op.

“Ook nog eens mijn vrije tijd met mijn geachte collegae doorbrengen is wel heel veel gevraagd...” had Diepenveen zich meer dan eens laten ontvallen. Dus bleef alles, nou ja zo ongeveer dan, zoals het was. Marsman bleef voorzitter van de maatschap èn opleider, dr. Lim deed er meestal het zwijgen toe, Van Kalmthout pikte het niet langer als Marsman uit de buurt was en Wiebe Woudstra uit het hoge noorden naar het zuiden afgezakt vandaar zijn imago van ‘ nuchtere Fries’ wilde vooral ‘ lekker z’n werk kunnen doen’... terwijl Diepenveen, plaatsvervangend opleider, er niet de minste behoefte aan had om het beeld dat men van hem had bij te stellen.
Vandaar dat hij zich op deze donderdag in december, de enige dag van de week dat hij geen polikliniek had en ook niet hoefde te opereren, op zijn kamer zat en de laatste hand legde aan een wetenschappelijk artikel over de introductie van nieuwe chirurgische technieken binnen de gynaecologie voor het jubilerende Nederlands Tijdschrift voor Geneeskunde. Het was een doorwrocht stuk waaraan ook Van Beveren zijn bijdrage had geleverd. Hij had literatuuronderzoek verricht, data verzameld...
Diepenveen kon zich er weer over opwinden als hij eraan dacht dat Van Beveren wat zijn opleiding betrof voorlopig in de wachtkamer zat... En dat door Marsman. Die zo nodig de voorkeur aan een vrouw moest geven...Niet dat hij daar bezwaar tegen had maar wel als het om een meisje ging dat van toeten noch blazen wist, zich nog helemaal niet had bewezen... Grote kans dat Van Beveren, en geef hem eens geen ongelijk, geen zin heeft om nog een half jaar te wachten en dus naar een andere kliniek vertrekt waar ze hem wel met open armen ontvangen.

"Doodzonde" had Diepenveen binnensmonds gemompeld, "doodzonde" terwijl hij een slok van zijn inmiddels koud geworden koffie nam. En dan te bedenken dat jongens van het kaliber als Van Beveren dun gezaaid zijn...Jongens van dat niveau, moest Diepenveen helaas vaststellen, kozen niet meer voor een vak als gynaecologie. Het waren nu vooral meisjes en allochtonen. De tijden van weleer waarvan hij nog net het staartje had meegekregen waren voorbij. De uitzondering die er toch voor koos moest je daarom alle kans geven, met het nodige respect behandelen, belonen... Dat de chirurgie binnen de gynaecologie een belangrijke rol speelde werd nogal eens vergeten.
"Ach, het is maar een kunstje," had hij vaak genoeg gehoord, "zelfs een aap kun je leren opereren..."
Een variatie daarop had hij lang geleden als stelling in zijn proefschrift opgenomen:
"Men hoort weleens dat men een aap kan leren opereren; maar de eerste aap die opereert moet zich nog melden..."
Terwijl hij bedacht dat het nog steeds een aardige stelling was om zich vervolgens weer aan zijn artikel te wijden, was zijn sein gegaan.
Er ontsnapte hem een zucht, een bijna-vloek, hij had het artikel willen afmaken maar moest met spoed naar de OK komen.
De patiënt van Iwan die voor een keizersnee op de rol stond - haar derde op rij - was ernstig in de problemen gekomen. De placenta had zich vastgehecht op de plaats van het oude litteken, wilde niet loslaten...
Tijdens het handen wassen en verkleden, het bekende ritueel, stelde Diepenveen opnieuw voor zichzelf vast dat sinds Iwan

zelfstandig opereerde er steeds iets was.
En dat 'iets' lag nooit aan hem... maar aan de anesthesie, aan de anestesiemedewerker, aan de assistent, aan de instrumenterend zuster, aan de omloopzuster en tot slot aan de patiënt... beroerde conditie, obees, hoog risico...
Toen Diepenveen de OK binnenging, vroeg hij zich af aan wie Iwan dit keer de zwartepiet zou toespelen voor zijn falen.
Even goed kijken...hij kende ze allemaal maar door hun uniforme, groene kleding die ze droegen, de mutsen die hun hoofd bedekten, de lapjes voor hun mond, moest hij beter kijken. Nog beter kijken...toen herkende hij haar: de nieuwe assistente. Hij kon niet zo snel op haar naam komen maar vermoedde dat zij het antwoord was op de vraag die hij zich zo juist had gesteld.

HOOFDSTUK 21

Wat is er mis.. ? En meer van dat soort dingen

Ik heb buikpijn.
Mijn haar valt uit.
Ik heb een knobbeltje.
Ik zie niets meer met mijn ene oog.
Ik ben duizelig
Er is een adertje gesprongen in mijn andere oog, is mijn bloeddruk soms te hoog?
Ik heb pijn in mijn rug.
Ik heb voortdurend dorst.
Ik heb een droge mond.
Ik word niet zwanger
Mijn voet doet pijn.
Ik durf het haast niet te zeggen maar ik heb pijn op een zekere plaats.
Ik kan me niet meer bewegen.
Ik ben bang dat ik val.
Ik verlies bloed.

Waarvoor bent u gekomen?

Omdat ik pas dertig ben en overal pijn heb.
Omdat ik veertig ben en een kind wil.
Omdat ik al vijftig ben geweest en het tijd wordt.

Omdat ik bijna zestig ben en nog lang niet moe ben.
Omdat ik zeventig ben geweest en mijn dochter zich zorgen maakt.
Omdat ik binnenkort tachtig word en thuis wil sterven.
Omdat ik negentig ben en er genoeg van heb.
Omdat ik ben aangekomen.
Omdat ik ben afgevallen.
Omdat ik niet meer slaap.
Omdat ik voortdurend omval van de slaap.
Omdat ik de hele tijd huil.
Omdat ik de pest aan mijn (schoon)ouders heb.
Omdat mijn man me heeft geslagen.
Omdat ik aan slechte dingen denk.
Omdat mijn vrouw van mij wil scheiden.
Omdat mijn vrouw beroemd is.
Omdat mijn vrouw Arthur Bronstein heeft ontmoet.
Omdat mijn vrouw nóg beroemder wil worden.
Omdat ik baal van mijn leven, van mijn werk...

Ferd zat achter zijn bureau en staarde naar de tuin die inmiddels winterklaar was. Er hoefde alleen nog maar sneeuw te vallen en het plaatje was compleet.
Mieke, zijn assistente, was nog even binnengewipt. Niet om een nieuwe patiënt aan te kondigen maar om hem gedag te zeggen, afscheid van hem te nemen, hem sterkte toe te wensen en een hart onder de riem te steken.
"Het komt echt wel goed hoor..." in haar stem hoorde hij dat ze niet meende wat ze zei.

“Dat hoef ik u toch niet te vertellen, u weet dat zelf veel beter... u heeft toch patiënten gehad met een burn-out, die overspannen waren, een depressie hadden en die er toch ook weer bovenop gekomen zijn...”
Hij had bevestigend geknikt. Zij kon er per slot van rekening ook niets aan doen. Maar ze moest niet doen, daar had hij een hekel aan, dat ze er nog in geloofde dat hij weer zou terugkeren in zijn eigen praktijk. Donders goed wist ze dat dat niet zou gebeuren. Ze had zelfs al een andere baan. Receptioniste in het nieuwe gezondheidscentrum ‘De Beukenhof’ dat begin volgend jaar officieel geopend zou worden.
Mieke was een van de eersten geweest, misschien wel de eerste, die vraagtekens had gezet achter zijn functioneren als huisarts. Ze had het tactvol gedaan maar toch... Steeds vaker hoorde ze van patiënten dat dokter Donkervoort tja, ze zeiden het heel voorzichtig, zo anders was dan vroeger.
“Zit al vijfentwintig jaar bij hem in de praktijk maar zo ken ik hem niet...”
“Hij heeft me laatst gezegd dat ik niet meer terug hoef te komen. Nooit meer...”
Aanvankelijk had ze de kritiek op hem – hij is ongeïnteresseerd, hij luistert niet, hij is lomp, is-ie wel kundig genoeg, hij lijkt er met zijn hoofd niet bij, hij heeft tot twee keer toe een verkeerd recept geschreven – gebagatelliseerd.
De dokter is ook maar een mens. Hij heeft het de laatste tijd erg druk. Dat heeft hij vast niet zo bedoeld... had ze de steken die hij had laten vallen verklaard.
Maar toen ze in één week van drie patiënten te horen kreeg dat ze

liever een andere huisarts namen, had ze hem laten weten dat ze even met hem wilde praten. Over een ernstige kwestie.
“Mevrouw De Wilde,” ze vond het moeilijk om het hem te zeggen, “is boos op u...erg boos.”
“En ik kan eerlijk gezegd,” had Mieke er empatisch aan toegevoegd, “wel met haar meevoelen. Als ik een dochtertje had van haar leeftijd zou ik waarschijnlijk net zo reageren...”
Mevrouw De Wilde was met haar negenjarige dochter op het spreekuur gekomen omdat ze zich ongerust maakte. Het meisje, normaal een en al levenslust en energie, was al een paar dagen hangerig en had verhoging. Op de school van het meisje was een geval van nekkramp geconstateerd. Op een naburige school, zo had mevrouw De Wilde uit de krant vernomen, was nog eens bij twee kinderen hersenvliesontsteking vastgesteld. Ouders, was het dwingende advies, moesten alert zijn, ze had iets gelezen over onderhuidse bloedinkjes, puntbloedinkjes...
“En die meende ze ,” had Mieke hem gezegd “bij haar dochtertje te zien...U wilde volgens haar,” was ze verder gegaan “daar niet eens naar kijken. Nam haar niet serieus. U zou gezegd hebben,” Mieke bloosde toen ze het hem zei: “Ik ben dokter, geen klaagmuur...”

HOOFDSTUK 22

Money makes the world go round...

Een paar maanden geleden was ze bij de bank langs gegaan. Het filiaal van de RABO, een voormalige vestiging van de Boerenleenbank in Broekerwaard, was nog de enig overgebleven bank in het dorp. De directeur, Joost Ottenvanger, die de scepter zwaaide over nog een viertal andere RABO-filialen in de regio was geen onbekende voor Ferd en Cathrien. Hij was ook lid van de plaatselijke Rotary.
"Dat schept een band," had hij gezegd tegen Cathrien toen ze op de afgesproken datum tegenover hem aan zijn bureau had plaatsgenomen. Om vervolgens te vragen of ze koffie wilde.
"We zijn degelijk maar wel met onze tijd meegegaan," had Joost gegrapt "we hebben een ultra moderne koffiemachine. Wat wil je cappuccino, cafè latte, latte macchiato, caffè moche..."
"Espresso" had ze geantwoord.
Zelf had hij voor een latte macchiato gekozen.
"Een uitkomst," had hij gezegd terwijl hij zijn kopje met een schuimend laagje melk onder de machine vandaan haalde, "espresso is me vaak net wat te sterk...".
Ze had hem bemoedigend toegelachen, ze begreep het wel, Joost voelde zich natuurlijk wat onzeker. Kwam natuurlijk niet zo vaak voor dat de vrouw-van en dan nog wel de vrouw van de plaatselijke huisarts, nota bene een mede- Rotarylid een afspraak maakte met de lokale bankdirecteur. Ottenvanger kende de financiële si-

tuatie van de Van Donkervoorts. Als er iets te regelen viel, zoals het verstrekken van een tweede hypotheek zoals ooit voor de verbouwing van de praktijk, het samenstellen van een verantwoorde beleggingsportefeuille, deed hij dat met Ferd.
" Cathrien," had Ferd wel eens gezegd, "weet niets van geldzaken. Interesseert haar ook niet.
Maar nu wilde diezelfde Cathrien tot zijn verbazing, een verbazing die Ottenvanger overigens niet liet blijken, een eigen zakelijke rekening openen. Een rekening met maar één gemachtigde. Zijzelf.
"Dat kan natuurlijk," had hij luchthartig geantwoord, "we zijn blij met iedere nieuwe klant..."
"Dank je..." en het was hem ineens opgevallen dat Cathrien Donkervoort eigenlijk best een mooie vrouw was. Zelfs een heel mooie vrouw. Dat had hij nooit eerder gezien. Maar dat kwam natuurlijk omdat hij doorgaans op mannen viel en niet op vrouwen. Daarom woonde hij ook niet in een dorp als Broekerwaard maar in Amsterdam.

Wer kennt sich selbst? Wer weiss was er vermag?

HOOFDSTUK 23

Meestal zag hij het snel: of ze het in de vingers hadden of niet. Hij had zich zelden vergist. Eén, hooguit twee keer. Zoals bij die assistent die gedurende de eerste drie maanden van zijn opleiding zo ongeveer alles verkeerd deed wat je maar verkeerd kon doen. "Een bespreekgeval", noemde Marsman zulke assistenten.
Hij had zelfs zijn maten geraadpleegd wat hij niet snel deed en waaruit op te maken viel dat hij ook ernstige twijfels had.
"Geven we hem nog een kans of gooien we hem eruit?" had hij gevraagd.
Diepenveen was de enige geweest die voor het laatste had gekozen. Dus bleef de assistent om vervolgens als een blad aan een boom om te draaien: hij ontwikkelde zich tot een bovengemiddeld operateur, had een behoorlijk wetenschappelijke output, wist zelfs enige naam te maken op het gebied van microchirurgische technieken bij infertiliteit en hij lag ook nog eens, zoveel was wel duidelijk geworden goed bij de verpleging. Toen hij zijn opleiding had voltooid, hadden ze hem graag gehouden. Eerst als chef de clinique, later wellicht als maatschapslid... Maar op 'later' had deze assistent niet willen wachten. In Groningen kon hij zo toe treden tot de maatschap. En ook niet onbelangrijk: goodwill hoefde hij daar niet te betalen.
In hem, zo besefte Diepenveen, had hij zich ernstig vergist. Of misschien beter gezegd: Diepenveen had zich in zichzelf vergist.

Dat was nog eens voorgekomen, alleen was dat minder extreem geweest.
Kees-Jan Hagemeijer jr., zoon van professor Kees-Jan Hagemeijer sr. moest zo nodig in de voetsporen van zijn vader treden... en dus ook gynaecoloog worden. Senior had zijn contacten aangewend.
Dat er nog drie andere kandidaten op de lijst stonden, had Marsman geen punt gevonden.
"Ik heb met zijn vader in hetzelfde dispuut gezeten..." had hij zijn keuze voor de jonge Hagemeijer verklaard.
"Absoluut geen talent..." had Diepenveen gevonden. "Maar het is ook geen brokkenmaker," had Van Kalmthout zijn gebrek aan techniek goed gepraat. "Hij doet geen gekke dingen, ligt goed bij de patiënten..."
Inderdaad, daarin had hij gelijk gehad. In dat opzicht was hij niet te vergelijken met Iwan.
En nu dan Roos Donkervoort. Bij gelijke geschiktheid gaat de voorkeur uit naar een vrouw. Laat me niet lachen... dacht Diepenveen bij zichzelf. Nee, hij had zijn mening - nog – niet geventileerd, het was niet verstandig Marsman voortijdig tegen de schenen te trappen... Bovendien zat ze er te kort om nu al een gefundeerd oordeel te geven. Daarbij: niet hij, Diepenveen, maar Marsman was opleider. Die was uiteindelijk verantwoordelijk. Voorlopig zou hij zijn mond houden. Maar als je het hem zou vragen. Ja, dan had hij zo zijn twijfels...

HOOFDSTUK 24

No other but a woman's reason

Ze kon hem niet helpen. Professionele hulp had hij nodig. Tenminste dat geloofde ze. En dat was iets dat zij hem niet kon bieden. Daarvoor was ze niet in de wieg gelegd. Ferd en Cathrien zaten tegenover elkaar. Hij in zijn clubfauteuil, zij op het puntje van de bank. Klaar om op te springen en weer aan de slag te gaan met verf, kwasten en penselen...met vermiljoen en tomaatrood, met shocking pink en bijengeel.

In de woonkamer met aan de muren de nodige doeken van haar hand scheen een vaal winterzonnetje naar binnen en in een hoek wachtte een blauwspar om te worden opgetuigd. Ooit was ze gewoon geweest de boom daags na Sinterklaas te versieren, hooguit een dag of twee later en nu een week voor kerst was het er nog niet van gekomen.

"Cathy..." Ze hoorde wel dat hij iets zei maar ze had geen zin erop te reageren. Ze had andere prioriteiten. Ze had zo ongelooflijk veel werk te doen. Geregeld stond er een bestelauto van de THE AMERICAN GALLERY voor de deur om weer een serie nieuwe schilderijen in te laden. Ze hadden nauwelijks tijd om te drogen of de auto stond alweer op de Koetjeslaan.

Ze had geen zin in ellenlange gesprekken. Dat leidde alleen maar af, hield haar van haar werk.

Maar sinds Ferd niet meer werkte. Tijdelijk niet meer werkte. Hoewel ze achter dat tijdelijk een groot vraagteken zette, wilde

hij praten. Almaar praten... over vroeger, over zijn te jong overleden moeder, over zijn vader die toen hij weer eens dronken was zich met een jachtgeweer in zijn eigen voet schoot en sindsdien kreupel was. Over zijn angsten, zijn grootste angst – j e l a a t m e t o c h n i e t a l l e e n, – over zijn werk waar hij niet meer tegen kon. Niet van de een op de andere dag, dat was gaandeweg zo gegroeid.
"Cathy..." het leek bijna wel op een schreeuw, ze schrok ervan, het had bijna net zo geklonken als die keer dat hij haar bord met pasta tegen de muur had gesmeten. Waar hij zich overigens wel voor geëxcuseerd had. Huilend.
"Ik was me zelf niet..." had hij zich verklaard. Tóen. Ondanks zijn aanbod de troep op te ruimen, had Cathrien zelf de scherven en brokstukken en de resten pasta putanesca bijeen geveegd, de vloer gedweild en een poging gewaagd de tomatensaus van de muur te verwijderen wat maar ten dele gelukt was. Een vage vlek bleef zichtbaar, bleef herinneren aan het incident. Ze had zich voorgenomen de muur opnieuw te texen, het was er nog altijd niet van gekomen. Wel deed ze vanaf die tijd de deur van de logeerkamer waar ze sliep 's nachts op slot. Niet dat Ferd ooit een vinger naar haar had uitgestoken, maar het zaad van de twijfel was gezaaid. Nu was het nog een bord, een schaal, straks misschien...
"Cathy... wat is er met me aan de hand, wat mankeer ik?"
"Dat weet ik niet, dat moet jij zeggen! Ik ben geen dokter, geen psychiater..."
Hij had haar willen zeggen dat hij daarom Gerard van Westerik had gebeld. Maar net als toen was hij niet verder gekomen dan te zeggen dat Gerard overleden was.

“Dat heb je me toch al verteld,” had het bits geklonken terwijl ze opstond om richting atelier te gaan “mijn geheugen werkt nog...”
In de deuropening had ze zich naar hem omgedraaid en hem eerder gecommandeerd dan gevraagd waarom hij eigenlijk niet met Boebie uitging.
“Dan doe je tenminste iets...” had ze eraan toegevoegd.
Een half uurtje later liep hij door de polder. De hond snuffelend achter zich aan, terwijl halfbevroren blad kraakte onder de zolen van zijn laarzen en hij zich ineens zomaar afvroeg of er nog een volgende kerst zou zijn...

HOOFDSTUK 25

Christmas dinner...

Eerste kerstdag...ze zouden allemaal komen naar Broekerwaard: Iris met Marc, Pieter met Floortje. Behalve Roos dan. Die kwam alleen. Over Patrick had ze het nog nooit gehad. Waarom zou ze... Dat was Amsterdam, dat was een ander leven... Ze had een kamer gevonden in Tilburg op loopafstand van het ziekenhuis. Makkelijk als ze dienst had.

Hoewel haar vader had aangedrongen op een ietwat riantere behuizing dan die kale ziekenhuisflat waarin ze haar intrek had genomen en daaraan ook wel mee wilde betalen als het te duur voor haar was, had ze zijn aanbod afgeslagen.

"Nee, dat hoeft echt niet pap..." Hoewel de twijfel wel knaagde. Want natuurlijk had hij gelijk, van die flat werd je niet echt vrolijk, maar ze wilde niet. Voorlopig niet. Wilde er zelfs niet aan denken. Ze vroeg zich af of de anderen, Iris en Pieter, het in de gaten hadden. Of zag en voelde zij het alleen?

Haar vader die nog maar een schaduw was van de vader van vroeger. "Zo'n goeie dokter..." zo spraken ze in het dorp over hem. Vroeger dan. Ze zeiden niet alleen dat hij een goeie dokter was, ze lieten het ook blijken. Zo rond de feestdagen werd hij geregeld verrast met weer een kistje wijn, een fles oude port, een panklare fazant, een gevulde rollade en van de enige Indische familie die Broekerwaard rijk was kreeg hij elk jaar weer een zelfgebakken spekkoek. *Das war Einmal...*

En nu was hij – voorlopig – gestopt met werken. Hij had haar gebeld in het ziekenhuis om het haar te vertellen. Ze had geen tijd voor hem gehad. Was misschien kortaf geweest. Diepenveen had haar net aan een paar simpele vragen onderworpen.
"Wat zijn de meest voorkomende complicaties bij een sectio...?"
En toen was haar pieper gegaan en had ze even later haar vader aan de lijn terwijl ze tegenover Diepenveen stond. Toen ze de licht geërgerde trek rond zijn mond zag, besefte ze dat ze haar sein beter niet had kunnen beantwoorden... Maar nog pijnlijker was het dat ze hem het antwoord op de vraag schuldig moest blijven.
"Je vader schijnt een burn-out te hebben," had ze later van haar moeder gehoord. Die eraan had toegevoegd dat ze dat niet begreep. "Zo druk heeft-ie het niet..."
Daaraan moest Roos denken en aan meer toen ze op die 25ste december naar haar ouderlijk huis reed over die met hoge, kale bomen omzoomde smalle Broekerwaardesweg. Elk jaar, soms vaker, afhankelijk van het aantal slachtoffers dat zich te pletter had gereden was er discussie over de weg. Altijd over de bomen. "Levensgevaarlijk die eiken..." vonden velen, maar nog meer vonden het doodzonde, echt doodzonde als die prachtbomen omgehakt zouden worden...
Roos reed met één hand aan het stuur, in haar andere hield ze haar mobiel vast die ze tegen haar oor hield.
"Verdomme... weer z'n voicemail." Ze had hem tig keer gebeld, ingesproken, ge-sms't maar Patrick liet niets horen. Misschien had hij geen bereik, was z'n batterij leeg, ze wist dat ze obsessief bezig was maar ze zou het zo weer proberen... Coûte que coûte

“Klootzak” ze spoog het woord bijna uit om op hetzelfde moment een ruk aan het stuur te geven. De tegenligger die haar eerder met lichtsignalen had gewaarschuwd, reed heftig claxonerend rakelings langs haar; ze zat net niet meer op de linker weghelft ...

HOOFDSTUK 26

Mein Schatten bin ich nur, bald nur mein Name...

Vroeger had Ferd in het seizoen vaak wild bereid. En zeker met kerst...haas, fazant, wilde eend. Gekregen maar nog vaker zelf geschoten. Hij was er mee opgegroeid, met de jacht. In het Groningen van zijn jeugd was de jacht allang geen privilege van de adel meer geweest. Bij hem thuis, hij kwam uit een boerenfamilie, was het gewoon: hij en zijn broers jaagden met hagel op konijnen, kraaien en kauwen. Op die laatste mochten ze het hele jaar door jagen. Die richtten toch alleen maar schade aan
Hij herinnerde zich dat zijn moeder tijdens het jachtseizoen en helemaal als er weer familiebezoek dreigde zijn vader vroeg of hij niet wat kon schieten... En dat deed-ie.
En dan kwam er een haas op tafel. Of een eend. Vaak vol hagel. Harde loden kogeltjes die je op de rand van je bord legde. Zo hoorde het. Behalve dan zijn oma. Ze slikte ze geregeld in omdat ze ze niet kon voelen met haar valse gebit.
Toen hij Cathrien leerde kennen moest ze erg wennen aan het idee van 'jagen'. Een 'ver- van- haar-bed-show' noemde ze het, net als het melken van de koeien en het voeren van de kippen. Zoals op de boerderij bij hem thuis.
Maar ze vond het ook wel 'iets' hebben de jacht, zei ze vaak. Vooral omdat het zo stoer en spannend was. En daaruit concludeerde hij dat ze hem ook stoer en spannend vond. Wat ook inderdaad zo was. Toentertijd dan.
Chic had ze het ook gevonden. "Het woord wildgebraad alleen

al... dat klinkt zo ja..."
Bij haar thuis kwam er geen wild op tafel, maar een balletje gehakt of een karbonaadje en met kerst, dat was iets van de laatste jaren geweest, rosbief... Maar wild, nee dat nooit.
De eerste jaren in Broekerwaard had hij ook nog geregeld gejaagd. Behalve de uitgestrekte polder was er ook nog genoeg bos in de omgeving. En akkerland met in de winter stoppelvelden waar klein wild zich ophield. Maar toen de kinderen groter werden, hadden ze er steeds meer kritiek op.
Helemaal toen ze eenmaal op de middelbare school zaten.
"Ik durf het niet tegen mijn vriendinnen te zeggen dat ik een vader heb die jaagt daar schaam ik me voor," had Iris geregeld geroepen. En Roos had het 'gemeen' gevonden en Pieter 'laf' en omgekeerd. En eten wilden ze het ook niet.
"Het idee alleen al..." hadden ze gegriezeld.
Dat het eten van een biefstuk of kip uit de supermarkt op de keper beschouwd dieronvriendelijker was dan het consumeren van een wilde eend kon hen niet over de streep trekken.
Of het nu door de kinderen was gekomen, zou hij niet eens met zekerheid hebben kunnen zeggen maar gaandeweg was bij hem de animo om te jagen steeds minder geworden. Het was ook een samenloop van omstandigheden geweest. Toen Klaas van Houten met wie hij vaak samen jaagde en die een grote boerderij, een melkveehouderij had gehad, plotseling overleed hoefde het voor hem ook niet meer. Met Klaas ging het niet alleen om het jagen. Bij hem voelde hij zich thuis... "Ik ben dan wel dokter," had hij vaak gezegd, "maar in het diepst van mijn gedachten ben en blijf ik een boer..."

HOOFDSTUK 27

Bijna...

Toen ze de oprit opreed en haar auto achter die van Pieter parkeerde, had Roos zichzelf weer enigszins onder controle.
"Gewoon doen, gewoon doen..." hield ze zichzelf voor en probeerde ze zich groot te houden. Ze was weliswaar bijna frontaal in botsing gekomen met een tegenligger. Maar dat was 'bijna'... En bijna was niet helemaal en dus helemaal niet en daarom had het eigenlijk geen betekenis. Bijna doodervaring, bijna zwanger, bijna... Terwijl ze zittend in haar tien jaar oude Peugeot, stak in ieder geval niet af tegen de nóg oudere Renault van haar broer, het 06-nummer van Patrick opnieuw probeerde te bellen, merkte ze dat haar handen nog steeds trilden. Zo hevig dat het haar zelfs moeite kostte om het juiste menu op de display van haar mobiel te activeren en toen dat eindelijk gelukt was, klemde ze het toestelletje zo hevig vast dat het bloed onder haar nagels wegtrok. Ze beet nog harder op haar lippen toen ze begreep dat ook deze poging vergeefs was: Patrick nam niet op... Waarom niet?
Ze had hem toch gezegd dat ze de eerste Kerstdag bij haar ouders at. Dat ze de tweede naar Amsterdam zou komen... Om een hele week te blijven. Bij hem. Ze had vrij tot 2 januari. Was hij beledigd dat ze hem niet had uitgenodigd? Maar zo'n relatie hadden ze toch niet... Haar vader, dat zou nog gaan. Maar haar moeder... ze zou het misschien niet zeggen, maar wel denken... zo hard denken dat Patrick haar gedachten zou kunnen lezen...
"Roos dat doe je me toch niet aan, hè, Roos jij... een stukadoor".

Zou Patrick, had-ie, nee, daar wilde ze niet aan denken, maar ze deed het toch... Had hij een ander...? Een a n d e r.
Nooit eerder had ze dat meegemaakt. Zij trok altijd aan de touwtjes. Dumpte de een, in ruil voor de ander waar ze ook weer genoeg van kreeg, om zich vervolgens weer in een nieuw avontuur te storten. Enzovoort. Het was tot dusver the story of her life geweest.
Ze moest zich niet laten kennen. Hoe vaak had ze hem vandaag niet gebeld. Tien, vijftien keer. In ieder geval te vaak... Maar ze kon niet anders, iedere keer weer hoopte ze dat het dit maal... Vanuit de auto keek ze naar de ramen van haar ouderlijk huis waarvan de gordijnen dicht waren en waarachter ze een brandend haardvuur vermoedde, kaarslicht, en een grote kerstboom met veel zilver en nog meer rood...Een illusie. Zoals het ooit was.
En net op dat moment ging de voordeur open en stapte haar vader naar buiten. Hij had even om zich heen geblikt om vervolgens langs het door lantaarns verlichte pad zich naar haar auto te begeven. Voor zichzelf registreerde ze dat hij anders liep dan vroeger. Niks geen energieke tred zoals ooit, maar een vermoeide. Een dodelijk vermoeide.
Toen ze het portier opendeed, hoorde ze hem zeggen dat hij zich opgelucht voelde dat ze er e i n d e l i j k was...
"Valt toch wel mee," had ze quasi luchthartig gereageerd toen ze uit de auto stapte.
"Hooguit een kwartiertje..."
"Ja, maar jij moet van echt ver komen, dan ga je je toch eerder zorgen maken, de anderen wonen allemaal redelijk dichtbij... en die zijn er trouwens ook allang..."

“Sorry, sorry ,” verontschuldigde ze zich om gelijk ook te vragen wat ze vanavond zouden eten.
“Ik heb trek” had ze eraan toegevoegd om zo gewoon mogelijk te doen.
“Stoofvlees met hete bliksem” had hij geantwoord. “Niet echt kerst maar wel ‘Gronings’...”
Roos herinnerde zich dat ze het ooit, lang geleden bij haar opa en oma in Noorddijk had gegeten...
“Mmm lekker,” had ’t geklonken. “En in ieder geval geen wild...”
Hij hoorde het blijkbaar niet.
“Weet je, ik, we maakten ons nogal zorgen, waren ongerust omdat we net via de lokale omroep hoorden dat er een ernstig verkeersongeluk op de Broekerwaardseweg heeft plaatsgevonden. Een motorrijder die de macht over het stuur had verloren, waarschijnlijk geslipt en tegen een boom is gereden. Op slag dood... Er zou ook een auto bij betrokken zijn. Een Citroën.”
Ze moest even slikken, voelde hoe haar hart een slag oversloeg. Ze had iets willen zeggen in de trant van wat erg, wat vreselijk en dat het de hoogste tijd werd dat die bomen werden omgehakt... Maar piepte er tenslotte uit dat hij zich niet ongerust over haar had hoeven maken. Ze reed geen motor en hij, ze wisten toch dat ze een Peugeot had...

HOOFDSTUK 28

La fortune passe partout

Van de doden niets dan goeds. Dat gold ook voor Marsman. Op 2 januari werd de zo tragisch omgekomen gynaecoloog onder grote belangstelling gecremeerd en herdacht. Uit de speeches die tijdens de afscheidsplechtigheid werden gehouden rees het beeld op van een man voor wie zijn werk en gezin alles waren geweest. Een noeste werker voor wie de patiënt altijd voor ging, binnen de gynaecologie een vernieuwer en een pionier, een begenadigd operateur, een geweldige vader en fantastische echtgenoot, een groot liefhebber van moderne kunst...een man met eigenlijk maar één ondeugd. Een ondeugd die hem uiteindelijk fataal was geworden: zijn motor. Op weg van Tilburg naar Midden-Beemster, naar zijn broer en diens gezin met wie ze samen - zijn vrouw en zoons waren eerder met de auto gegaan - kerst zouden vieren, was hij verongelukt.

Toen de pianoklanken van Eric Satie langzaam wegstierven, volgens een zoon van de overledene de muziek waarnaar zijn vader het liefst had geluisterd, was het de beurt aan Diepenveen geweest om het woord te nemen.

Toen hij achter de katheder had plaatsgenomen om te spreken namens de maatschap gynaecologie was hij nog steeds enigszins van zijn apropos, voelde hij zich in zekere zin onthutst en zelfs iets wat melancholisch.

Dat Marsman een liefhebber van Satie was geweest, had hij niet kunnen vermoeden. Misschien was het zelfs wel het laatste waar-

aan hij had gedacht. Wellicht dat hij daarom iets moest wegslikken. Nogmaals. Hij schraapte zijn keel, nam een slok water.
Had hij Marsman bij leven geregeld vervloekt en doodgewenst, nu sprak hij lovende woorden over hem. Net als de andere maatschapsleden bewaarde ook Diepenveen warme herinneringen aan de zo plotseling overleden collega.
Hij noemde Marsman een geboren leider. Een leider die de kunst verstond ook aan anderen de ruimte te geven. Hij roemde zijn visie.
"Nóg meer vrouwen wilde hij in de gynaecologie, trouwens in de hele geneeskunde", hield Diepenveen zijn gehoor voor. "En dat getuigt niet alleen van lef maar vooral ook van een vooruitziende blik...Toen Marsman zijn carrière begon was de manlijk specialist de norm, de vrouwelijk specialist gold als een 'anomalie'... Dankzij mensen als Marsman staat de vrouw inmiddels haar 'mannetje' in de geneeskunde en zeker in ons vak, de gynaecologie..."
Dit staaltje van minzame zelfspot bracht heel even een besmuikt gelach onder de toehoorders teweeg. Een moment van ontspanning.
Hij had de zaal in gekeken en onwillekeurig was zijn blik blijven haken aan die van de weduwe, die tussen twee van haar zonen in zat. Hij zag haar roodbehuilde ogen, het papieren zakdoekje dat ze in haar hand geklemd hield.
Hij had een bruggetje willen slaan naar het thuisfront. Iets over de drie zonen van de overledene willen zeggen, maar hij wist niet eens hoe ze heetten. Hij was zelfs de voornaam van Marsmans echtgenote kwijt. En haar naam, in tegenstelling tot die van haar

zonen, had hij toch echt geweten...
Later in de ontvangstruimte van het crematorium net op het moment dat hij zijn tanden in een Brabants worstenbroodje zette, was hij er tot zijn opluchting weer opgekomen.
Cato, zo heette ze. Niet zomaar Cato, daarom was hij er weer opgekomen, maar Cáto, met de klemtoon op de eerste lettergreep.
Kalmthout was bij hem komen staan, eveneens met een worstenbroodje in de hand. "Een hele slag, een hele slag voor onze maatschap en dat is het," had hij tussen twee happen doorgemompeld.
En Diepenveen had het beaamd om er min of meer gelijk aan toe te voegen dat hij er vandoor ging.
"Naar het ziekenhuis...?" had Kalmthout hem aarzelend gevraagd. Diepenveen had bevestigend geknikt. "Maar..." hij wist wat Kalmthout wilde gaan zeggen, dat er vandaag in verband met de crematie geen polikliniek was en er evenmin operaties op het programma stonden.
"Weet ik," had hij gereageerd. "Het leven gaat nu eenmaal door..." had hij er bij willen zeggen maar deed het toch maar niet.
"En Cáto...?" Kalmthout had hem opnieuw vragend aangekeken. "We moeten..."
"Ik heb haar de hand gedrukt, haar mijn oprechte deelneming betuigt maar ik geloof niet dat het binnen is gekomen..."had Diepenveen gereageerd. Om eraan toe te voegen, terwijl hij zijn hand op stak ten teken dat hij er nu toch echt vandoor ging dat hij zich dat wel kon voorstellen.
"Die zit of onder de tranquillizers, is zo stuk van verdriet of beide dat de wereld voorlopig aan haar voorbij gaat..."
Even later stond hij buiten op de parkeerplaats. Het was kil en

grijs. Terwijl hij zich haastte naar zijn auto, het regende ook nog eens, zag hij rook uit de schoorsteen omhoog gaan.
"Nu al Marsman...?" vroeg hij zich af om op hetzelfde moment tegenover zijn auto een bekend gezicht te zien. De jongste assistent. Roos. Tja, die moest natuurlijk wel acte de presence geven. Ze was met nog iemand. Een oudere vrouw met hoed. Ze kwamen op hem toegelopen, leken zich van de regen weinig aan te trekken. Hij was bij het nog ongeopende portier van zijn auto blijven staan. Voelde vaag iets van ergernis, wat nergens op sloeg maar desalniettemin.
Roos had haar hand naar hem uitgestoken en hem gecondoleerd met het verlies van dr. Marsman om vervolgens de vrouw naast haar aan hem voor te stellen.
"Mijn moeder..."
"Cathrien Donkervoort..."
De naam kwam hem bekend voor net als haar gezicht. Had hij niet onlangs, kortgeleden iets...?"
"Ook zo triest voor Roos hè," hoorde hij haar zeggen "is ze net met d'r opleiding begonnen en overlijdt haar opleider. Dat is wat je noemt pech...Marius was trouwens ook een goede vriend van ons."
Hij knikte om op hetzelfde moment op de afstandsbediener te klikken om het portier van zijn auto te ontgrendelen.
"Heb nogal haast, verklaarde hij zich nader terwijl hij het portier opende en achter het stuur plaatsnam.
"Moet helaas weg..."
Ondanks de glimlach die ze had opgezet, was haar verbouwereerde blik Diepenveen niet ontgaan. "Zal wel," was het even

door hem heen gegaan om vervolgens de motor te starten. Hij stak zijn hand naar hen op terwijl hij van de parkeerplaats weg-reed.
Hij voelde zich opgelucht. Opgelucht dat hij wist waar hij haar van kende. Dat zijn geheugen het nog deed.
Hij had haar zien staan in het blad dat zijn vrouw hem een paar weken geleden onder de neus had gehouden, hem bijna door zijn strot had geduwd...
"Moet je eens kijken dat is nou Cathrien Donkervoort, je weet wel waar de Van Dijks, ik wist trouwens niet dat die zo kunstminded zijn, een werk van hebben gekocht. Schijnt geld als water te verdienen met dat schilderen van haar..." had ze gezegd om er op te laten volgen dat ze dat misschien ook zou kunnen gaan doen.
"Zo moeilijk ziet het er nu ook weer niet uit..." had ze gevonden.
"Hou jij je nu maar bezig met waarin je goed bent..." had hij geantwoord.
"Koken, zeker..." had ze geroepen en was beledigd de kamer uitgelopen richting keuken.
Enfin, in ieder geval wist hij waar hij Cathrien Donkervoort van kende. En terwijl hij zijn ruitenwissers een tandje hoger zette om de koude regen die inmiddels natte sneeuw was geworden de baas te blijven, begreep hij waarom Marsman een kunstliefhebber genoemd werd.

HOOFDSTUK 29

La femme est extrême, elle est meilleure ou pire que l'homme

Haar hart had een huppeltje gemaakt, een vreugdesprongetje toen ze voor het scherm van haar laptop zat en vijfendertighonderd, tweeënveertighonderd, drieduizendvijftig, nog eens drieduizend, nogmaals.... De bedragen buitelden over het scherm. En dat in luttele dagen. De oogst van twee exposities...

"Dat is nog maar het begin" had Bronstein haar voorspeld.

"Als je straks in New York bent doorgebroken, dan is dit peanuts..."

"Geld maakt niet gelukkig..." had Ferd haar vroeger vaak voor gehouden en zij hield hem dan steevast voor dat hij daarin misschien wel gelijk kon hebben, maar dat géén geld in ieder geval hartstikke o n g e l u k k i g maakt...

"Je komt toch niets te kort Cathy," was daarop meestal zijn reactie geweest. "Je kunt alles kopen wat je wilt..." Wat natuurlijk niet waar was. Maar hij begreep haar niet. Zag, om maar iets te noemen, niet het verschil tussen een originele Pradatas en een nepper. "Je gaat toch niet voor de naam betalen, die tassen zijn zo goed als hetzelfde..."

Typisch Ferd, zo'n opmerking. Hij was en bleef een boer... Wat wist hij nou van kunst? Hij wist niets beter te melden dan dat hij het zo knap vond wat ze maakte.

"Dat doe ik je niet na hoor," riep hij geregeld. "Daar gaat het niet om Ferd..." reageerde ze dan.

"Je bent beter dan Appel..." vond hij. Aan zulke opmerkingen

ergerde ze zich. Wat wist hij er nou helemaal van en dat zei ze hem ook.
"Sorry, sorry," was dan vaak, en dat irriteerde haar nog meer, zijn reactie "maar ik vind je echt beter..."
Goed bedoeld was het, ongetwijfeld, maar voor haar hoefde het niet. Overigens hoefde hij haar er ook niet aan te herinneren, en dat deed hij een enkele keer, dat hij als student uit de provincie haar voor het eerst het Stedelijk Museum had laten zien. Van binnen dan.
Ferd was toentertijd oprecht verbaasd geweest dat zij die in Amsterdam geboren en getogen was er nog niet eerder was geweest... "Ze hebben het er zelfs in Noorddijk over," had hij destijds gegrapt. En dat had ze niet kunnen waarderen. Maar dat was allemaal lang geleden. De tijden waren veranderd... Ze voelde zich niet langer, en dat was niet eens heel deep down van binnen, integendeel, geroepen om de rol van-de-vrouw van te vervullen. Dat hoefde ook niet... Niet meer, tenminste. Ze was, eindelijk, financieel onafhankelijk, wist ze. Straks zelfs rijk... En Ferd? Dat wist ze ook. De uitkering die hij, wanneer hij definitief was afgekeurd en dat hooguit een kwestie van maanden was, via zijn arbeidsongeschiktheidsverzekering zou krijgen was niet meer dan een schijntje... Hij was er al die jaren van uitgegaan dat hij tot het einde, tot zijn 65ste zou blijven werken... En dat leek er aanvankelijk ook op. In die vijfentwintig jaar dat hij huisarts was, was hij één keer twee dagen geveld geweest door een lichte griep, en nog eens een week vanwege een schouderblessure, opgelopen tijdens een wintersportvakantie in Oostenrijk. Maar verder... "je gaat toch niet al je geld wegbrengen naar de verzekering...die pre-

mies zijn torenhoog".
Toentertijd was ze het met hem eens geweest, drie studerende kinderen, ze konden het geld beter gebruiken...
Maar het kan verkeren, drong het steeds meer tot haar door... straks was hij afhankelijk van haar. In alle opzichten. Ze sloeg haar handen voor haar gezicht, moest er niet aan denken... Net nu ze op het punt stond...
Ze herinnerde zich, het was zeker een half jaar geleden, zo niet langer, in ieder geval voor zijn burn-out, dat Ferd haar terwijl ze aan tafel zaten, zei dat het wel een epidemie leek.
"Is het weer zo ver?" had ze nauwelijks geïnteresseerd gevraagd.
"Nee, had hij gezegd, ik heb het niet over de griep, daar verveel ik je niet mee...maar aanstekelijk is het wel, zeer besmettelijk zelfs."
"Waar heb je het in hemelsnaam over...?," haar nieuwsgierigheid was gewekt.
"Ik heb het niet over één geval, niet over twee, niet over vijf en dan heb ik het alleen nog over mijn eigen praktijk. Nota bene een dorpspraktijk in een over het algemeen toch tamelijk behoudend dorp..."
"Waar heb je het over...?"
"Het lijkt wel alsof mannen elkaar aansteken om voor het ingaan van de laatste levensfase, nog even te proeven aan andere vrouwen. Huwelijken die dertig jaar of langer overeind zijn gebleven, sneuvelen aan de lopende band. Inderdaad," was hij verder gegaan, "die verlaten vrouwen kunnen het samen-oud-worden wel vergeten. Ik weet het," hij had haar aangekeken met iets mistroostigs in zijn blik, "vrouwen kunnen wel tegen een stootje; ook op latere leeftijd. Maar zuur is het wel wanneer je emotionele inves-

teringen van een leven lang niets meer waard blijken te zijn..."
"Dat was wat je me wilde vertellen...?" had het enigszins ironisch geklonken. Hij had gedaan, zoals vaker, alsof hij haar niet hoorde.
"Las laatst," was hij verder gegaan, "en daaruit blijkt maar weer dat dit fenomeen zich niet beperkt tot mijn praktijk de man tegenwoordig net een woekerpolis is..."
"'t Zal wel," had ze gezegd terwijl ze opstond "maar die vergelijking gaat mij te ver. Ik bedoel, die snap ik niet."
En weer had hij gedaan alsof hij haar niet hoorde. Was hij nu Oost-Indisch doof of moest hij toch echt aan een gehoorapparaat, was het weer even door haar heen gegaan.
"Zij," was Ferd verder gegaan, "betaalt wel duizenden euro's spaarpremie, maar op de einddatum blijkt er per saldo niets uitgekeerd te worden. Nu lijkt de man als woekerpolis misschien een absurd concept, een bizarre vergelijking, maar als je even nadenkt, zal je beseffen dat het zo vreemd nog niet is. Net als banken en verzekeraars onverantwoorde risico's nemen en zichzelf verrijken met het vermogen van anderen, doen ontrouwe mannen in feite hetzelfde. Ook zij lopen weg met de inleg van hun ex en menen recht te hebben op meer geluk dan in het oorspronkelijk contract is vastgelegd. Vervolgens gokken zij op een aantrekkelijk alternatief en verkwanselen alles wat ooit is opgebouwd. Vroeger, en dan denk ik aan mijn eigen ouders, wist de mens nog wat het betekende om tevreden te zijn met wat hem gegeven was. Vandaag de dag heerst er toch een andere mentaliteit. Mensen in het algemeen en mannen in het bijzonder menen recht te hebben op meer..."

"Ferd," en haar stem had luider geklonken dan haar bedoeling was, "wat ben je toch een onverbeterlijke moralist." Hij had ietwat verdwaasd opgekeken. "Inderdaad, een onverbeterlijke moralist, dat zei ik..." had ze zichzelf herhaald.
"Dit soort praatjes hou je maar tegen die zielige, verlaten, postmenopauzale vrouwtjes die bij jou komen uithuilen op het spreekuur maar ik ben daarin niet geïnteresseerd. Bovendien," ze had een diepe zucht geslaakt om haar woorden nog meer kracht bij te zetten, "niet alleen mannen maar ook vrouwen menen recht te hebben op meer...En daar is niets fouts aan. Met ambitie, met hogerop te willen, verder te komen is helemaal niets verkeerds. Integendeel"
Terwijl ze nog steeds gelukzalig naar haar RABO-account op haar laptop staarde, herinnerde ze zich weer dat Ferd niets daarop had gezegd. Geen woord meer... Hij was opgestaan, had als vanzelfsprekend de tafel afgeruimd en vervolgens de vaatwasser ingeruimd. En zij was naar haar atelier gegaan waar ze in een koortsachtig tempo de laatste hand legde aan weer een nieuw schilderij... Ad astra wilde ze en ze zou er komen ook.

HOOFDSTUK 30

Le roi est mort, vive le roi...

Zo gaan die dingen. Toen het tijdperk Marsman voorbij was, werd Diepenveen de nieuwe opleider gynaecologie in het Zuiderstreekziekenhuis. In ieder geval voor twee jaar. Daarover bestond geen discussie. Zo stond het in de statuten. Daarna zou de afdeling gynaecologie & obstetrie opnieuw gevisiteerd worden door daartoe bevoegde collegae uit het land om te beoordelen of de kliniek - nog steeds - aan de vereiste opleidingscriteria voldeed. Konden de assistenten het verplichte aantal ingrepen op hun conto schrijven; hoe stond het met de wetenschappelijk output, wat werd er aan onderwijs gedaan. Dergelijke zaken werden onder de loep genomen. Terwijl door deze wisseling van de macht het opleidingsklimaat voor Marcel van Beveren ineens een stuk zonniger was geworden, pakten de eerste donkere wolken zich boven Roos samen.

Of ze al weleens bij een sectio had geassisteerd? Had ze zich sowieso al 'enigszins' verdiept in nieuwe technieken en methoden? Wist ze dat de gynaecologie in tegenstelling tot vroeger steeds vaker een oplossing bood met behoud, zelfs met verbetering van het betreffende orgaan? Diepenveen bereed zijn stokpaardje. "De minimaal invasieve benadering," doceerde hij - en hij wist dat Marsman het daar nooit met haar over gehad had - maakt een steeds belangrijker deel uit van de functie behoudende chirurgie. De gynaecologie had hij haar voorgehouden, had zich in de loop van de tijd steeds meer ontwikkeld tot een specialistisch chirur-

gisch vak. Kon je er een generatie geleden nog mee wegkomen als je een mediocre operateur was, vandaag de dag redde je het daar niet meer mee. Waar vroeger, het was maar een voorbeeld, de baarmoeder verwijderd werd bij problematische vleesbomen, worden nu sparende operaties verricht... was hij verder gegaan. Het duizelde haar. En inderdaad wat wist ze er eigenlijk van. Het enige dat ze wist was dat ze geen huisarts - meer - had willen worden. Maar verder...?
“Ik kan je maar een ding aanraden,” had hij haar onderbroken, “ga kijken, vooral kijken hoe het gaat.”Diepenveen was behalve opleider, ook aanhanger van het autodidactisch model. Zo had hij het vak, en daarin was hij geen uitzondering, ook zichzelf eigen gemaakt.

Het leek simpel. Zo simpel dat Roos het na drie keer te hebben gezien, het idee had het ook te kunnen. Maar dat viel tegen. Toen ze de naaldvoerder in haar hand nam, merkte ze dat haar vingers, had ze zelden last van gehad, zo hevig trilden dat ze bij wijze van spreken nog niet eens een draad in het oog van een stopnaald had kunnen krijgen.
“Doet u het maar...” had ze Diepenveen toegefluisterd.
Ze keek toe hoe hij - het was zijn expertise - afgesloten eileiders herstelde, eerdere sterilisaties ongedaan maakte. Operaties waarbij microchirurgische technieken werden gebruikt.
“Hij is wel goed, maar niet gezellig,” had de OK-zuster die Diepenveen bij een hysteroscopie assisteerde tegen haar gezegd. Roos schrok van die opmerking. Zoiets kon je toch niet maken met Diepenveen op een meter afstand.

“Maak je geen zorgen, hoor,” had de zuster gezegd, “als hij opereert hoort en ziet hij niets behalve zijn eigen operatie.
Dat dit niet altijd het geval was, ontdekte Roos korte tijd later toen hij haar opnieuw vroeg de buikwand te sluiten. Dit keer bij een patiënt voor wie er niet anders had opgezeten dan een radicale verwijdering van de uterus. Via de buik. Toegegeven het was niet de makkelijkste patiënt geweest. Een veel te zware, te dikke vrouw...
Bovendien had Roos zich niet lekker gevoeld. Ze was misselijk geweest. Zoals de laatste tijd wel vaker. En die kop koffie die ze op de valreep, net voor de operatie had genomen, had haar helemaal geen goed gedaan... Tanden op elkaar, ze moest het doen, ze dacht aan haar vader - aan zijn brevet van onvermogen -, aan de woorden van haar moeder - godzijdank, heeft zij meer aspiraties - voelde dat haar handen weer beefden, weliswaar minder dan die eerste keer maar toch...

“Godverdomme wat een prutswerk,” had ze hem horen vloeken en nogmaals, “wat een prutswerk... hier kan ik niets mee. Dat zijn geen steken, dat is...”
Ze had de ingehouden woede in zijn stem gehoord toen hij zich tot de OK-zuster wendde: “Nathalie, neem jij het maar van het haar over...”
Hoewel ze er niet helemaal zeker van was, maar zo goed als, dacht ze Diepenveen iets te horen zeggen over ‘de erfenis van Marsman...’ Terwijl ze achter het mondmasker van superzuster Nathalie met een aan zekerheid grenzende waarschijnlijkheid een superieur lachje vermoedde toen die haar zei dat ze maar

beter naar de koffiekamer kon gaan.
Koffie... de gedachte alleen al maakte haar nóg misselijker dan ze al was.

HOOFDSTUK 31

You and I are past our dancing days

Het was niet zijn eigen keuze. Maar het was een eis van de verzekeringsmaatschappij geweest. Hij moest zich onder behandeling stellen van een deskundige. Een psycholoog, een psychiater die moest vaststellen wat er met hem aan de hand was, waarom hij arbeidsongeschikt was, waarom hij niet meer kon werken... Logisch, had ook Cathrien gevonden. "Je kunt wel roepen dat je een burn-out heb, wat ik me trouwens moeilijk kan voorstellen, maar misschien is er wel heel iets anders met je aan de hand..."
"Ik heb geen hoge pet op van zielenknijpers..." had hij vaag geprotesteerd.
"Dokters vertrouw je sowieso niet," had Cathrien gerepliceerd. Daarin had ze wel enigszins gelijk. Hij was meer van het zelfdokteren... Schreef zijn eigen recepten. Ook voor Cathrien en de kinderen. Dat had hij eigenlijk altijd gedaan. Een 'eigen' huisarts hadden ze niet. Waarom ook...?
Hij kende de bezwaren; een te grote betrokkenheid met een patiënt zou een objectieve diagnose in de weg staan en daardoor een juiste behandeling... De klachten zouden ofwel gebagatelliseerd worden, dan wel te ernstig opgevat. Kul, vond Ferd. Als hij er echt niet uitkwam, dan stuurde hij hen door naar een bevriend specialist. Had hij vaker gedaan. Daar deed hij niet moeilijk over...

"Nee," had hij tegen de psychiater gezegd bij wie hij uiteindelijk terecht was gekomen daar heb ik nooit moeilijk over gedaan.

“En wat uzelf betreft...? “
Hij had geantwoord dat hij in zijn hele carrière maar twee keer verstek had laten gaan. Eenmaal vanwege griep en nog keer om een blessure aan zijn schouder. Verder had hij nooit een dokter nodig gehad.
“Begrijp ook niet wat er de laatste maanden met me aan de hand is. Het is,” hij vond het moeilijk over zichzelf te praten, “alsof ik mezelf niet meer ben. Alsof ik mezelf ben kwijtgeraakt... Nooit heb ik een hekel aan mijn werk gehad. Integendeel. Hoewel ik mij er wel altijd rekenschap van heb gegeven dat je maar zo bitter weinig kunt doen. Dat je meestal met lege handen staat... Mensen hebben vaak van die hooggestemde verwachtingen... Dat hadden ze vroeger ook, maar ik heb de indruk dat men tegenwoordig het idee heeft dat alles kan. Terwijl ikzelf steeds meer het gevoel krijg dat het nogal tegenvalt wat we kunnen... Zeker, de diagnostiek is verbeterd maar de behandeling... Ik ben me ervan bewust dat ik mijn patiënten steeds vaker teleurstel. Maar ik heb ook steeds minder zin gekregen het spel mee te spelen... Eigenlijk heb ik het verkeerde vak gekozen.”
En toen was hij over Cathrien begonnen. Hoezeer hij haar bewonderde, hoe ze de sterren van de hemel schilderde, dat haar werk, in tegenstelling tot het zijne, juist een bron van energie was, dat...

Pillen en praten, had de psychiater gezegd. Praten en pillen...wat moest hij ermee?
In ieder geval had zijn aandoening een naam gekregen en was hij van een etiket voorzien: hij leed aan een depressie. Wat hij ermee opschoot...? Het was in ieder geval handig dit te weten met het

oog op de verzekering. In verband met zijn uitkering.
Hij stond overigens niet alleen. Met hem waren er nog 850.000 Nederlanders die met hetzelfde kampten. Toch voelde hij zich uniek.
Hij staarde door het raam naar buiten, het was zonnig, koud en winters en desondanks hing er al iets van voorjaar in de lucht. Op zijn ronde door de tuin had hij sneeuwklokjes ontdekt en op het meest zonnige plekje hadden de eerste krokussen hun kopjes boven de grijs-zwarte aarde uitgestoken.. Nog even en de narcissen schoten de grond uit, de tulpen... Ooit had hij er naar uitgekeken. Nu was het zoiets als de zon zien opkomen maar de warmte ervan niet voelen. Twee weken geleden was hij jarig geweest. Het was net zo'n grijze dag als alle andere, over een week zou Cathrien naar New York vertrekken... een loodgrijze dag, wist hij. Net als de dagen erna.
"Onze gevoelens hebben zeker niet alleen betrekking op bevredigingen en frustraties in onze relatie met de buitenwereld. We hebben ook een relatie met onszelf," had de psychiater hem voorgehouden. Denk aan schuldgevoel. Het besef iets te hebben gedaan wat je beter had kunnen laten of juist niet, schuldbesef gaat gepaard met emoties, met schuldgevoel. We veroordelen onszelf en dat we dat moeten doen veroorzaakt verdriet. Een continue ontevredenheid met onszelf, een voortdurende zelfveroordeling, uit zich in onze stemming, in depressiviteit..."
"Een loser, "dat was hij, bedacht Ferd zich terwijl hij nog steeds voor het raam stond en zag hoe een bestelbus de oprit opreed. Niet zomaar een bestelbus maar een van de THE AMERICAN GALLERY . Het was een bijna wekelijks ritueel...de chauffeur

die de doeken van Cathrien kwam inladen. Soms kwam hij dezelfde dag nog terug omdat haar productie te groot was om in één keer mee te nemen. Bovendien werden haar doeken steeds groter. Mede op verzoek van Arthur Bronstein.
"Hoe groter, hoe mooier, hoe duurder... zo zijn Amerikanen nu eenmaal,"had de galeriehouder uit New York beweerd en Cathrien had hem graag gelijk gegeven.

HOOFDSTUK 32

You never can tell..

Het lag misschien niet zo zeer in zijn aard, maar hij had het zich in de loop van de tijd wel eigen gemaakt: vervelende, pijnlijke, moeilijke mededelingen vriendelijk te verpakken. Waarom nog eens extra zout in de wond wrijven... Dat was, vond Diepenveen, nergens voor nodig. Die houding van hem - schijnbaar vriendelijk, empatisch, begripvol - zette een enkele keer de ander op het verkeerde been. Zoals bij Roos. En dan was Diepenveen genoodzaakt een en ander wat bij te stellen. Voor die niet zo goeie verstaander moest hij dan duidelijker zijn. En dat was soms pijnlijk. Hoewel dat zeker niet zijn intentie was. Hij had haar uitgenodigd voor een tussentijds 'beoordelingsgesprek' om de voorlopige balans op te maken.
"Dat doe ik niet zo vaak," had hij gezegd "maar in jouw geval lijkt het me verstandig."
Ze had daar alle begrip voor, zei ze, en zag er ook, en misschien wel juist, het positieve van in. Inderdaad, ze had een moeilijke start gehad. Het plotselinge overlijden van Marsman, dat was haar natuurlijk niet in de kouwe kleren gaan zitten. Ze was nog maar net begonnen, hij had alle vertrouwen in haar gehad en dan toch in het diepe gegooid worden, ja dan moet je wel sterk in je schoenen staan... En dan, dat was ook vervelend geweest, was ze een paar keer bij een operatie niet goed geworden. Zodanig dat ze de OK had moeten verlaten... En waardoor het kwam? Géén idee, had ze beslist gezegd.

Wat Diepenveen de opmerking ontlokte, dat het verstandig zou zijn als ze zich eens goed liet nakijken...
"Zeker," had ze zich gehaast te roepen, "doe ik zeker... maar ik schrijf het zelf aan beginnerstress toe. De laatste tijd heb ik er geen last meer van gehad. Voel me op de OK veel zekerder, gaat ook stukken beter..." Dat straalde ze in ieder geval niet uit, vond Diepenveen. Om vervolgens te concluderen dat ze geen ziekte-inzicht had.
Iwan leed aan dezelfde kwaal. Ook hij overschatte zichzelf.
Maar hij ging er niet op in. Wel benadrukte Diepenveen dat in tegenstelling tot het verleden handvaardigheid een steeds belangrijker rol speelde in de gynaecologie. Wat hij tot nog toe van haar had gezien was dit ver onder de maat gebleven. Dit moest sterk verbeteren anders durfde hij haar niet op het 'publiek' los te laten. Dat kon je de mensen niet aan doen.
Tuurlijk, de huidige assistenten hadden het moeilijker dan die in het verleden, had Diepenveen gezegd om zijn boodschap beter verteerbaar te maken. Vroeger deden assistenten in opleiding vaak eerst een of twee jaar elders ervaring op voordat ze op de gynaecologie kwamen. Die wisten dus al iets. Terwijl ze tegenwoordig, in het nieuwe opleidingsschema eigenlijk direct van de schoolbanken komen.
Roos had heftig mee zitten knikken. Dat gold inderdaad ook voor haar. Ze was blij dat Diepenveen daar in ieder geval begrip voor had want dat proefde ze uit zijn woorden.
En toen had hij gevraagd of ze wel wist waaraan ze begon.
"Hoewel de geneeskunde de laatste twintig jaar is gefeminiseerd, wil dat niet zeggen dat het vak vrouwvriendelijker is geworden.

Vrouwen zijn elkaars concurrent geworden en dan gaat er minstens zo hard aan toe als bij mannen. Vaak harder is zelfs mijn indruk ..." had hij gedebiteerd.
"Het klinkt misschien niet politiek correct maar ik heb in mijn loopbaan meer ongelukkige dan gelukkige vrouwelijke gynaecologen zien rondlopen. Veel houden er voortijdig mee op, hebben wel ambitie maar te weinig talenten om zich staande te houden. En weten ze zich wel staande te houden dan moeten ze daar vaak grote offers voor brengen... Privé dan."
"Dat geldt toch ook voor mannen..." had Roos voorzichtig ingebracht terwijl ze aandachtig in haar koffie met niks roerde om vervolgens het bekertje naar haar mond te brengen. Nee, de geur alleen al maakte haar nog misselijker dan ze al was. Zo misselijk dat ze haast moest overgeven...en het advies van Diepenveen om toch vooral te oefenen, veel te oefenen met slechts een nauwelijks hoorbaar 'ja' kon bevestigen om vervolgens overhaast zijn kamer te verlaten en richting wc te rennen waar ze haar ontbijt van die ochtend uitbraakte. Toen ze even later enigszins opgelucht maar nog steeds misselijk naar haar spiegelbeeld boven de wasbak staarde, begon het haar voor het eerst te dagen. Maar dat kon niet, dat kon absoluut niet...

HOOFDSTUK 33

Ita fit (zo gaat het)

Ze hadden net naar 'Gooische vrouwen' zitten kijken. "Aardig hoor," had Marc opgemerkt "maar je mist ook niks als je hem niet hebt gezien."

"Viel me eigenlijk ook een beetje tegen...had me er meer van voorgesteld," liet ook Iris zich ontvallen, "helemaal als ik op de reactie van mijn moeder afga. Ze was er l a a i e n d over... Daarom heeft ze ook die DVD gegeven"

"Ach, een kwestie van smaak," vond Marc, "maar ik hoef hem in ieder geval niet nóg een keer te zien."

"Zal de boodschap overbrengen," had het enigszins gepikeerd geklonken.

"Nou," vond Marc weer, "je hoeft je niet aangesproken te voelen, ik dacht dat jij er min of meer hetzelfde over dacht..."

"Daar gaat het niet om Marc, maar elke keer als mijn moeder in beeld komt dan volgt er wel een opmerking van je die nou niet bepaald positief is..."

Marc vond dat overdreven, het helemaal nergens op slaan.

"Het woord schiet me niet één, twee, drie te binnen maar als jij het over mijn moeder hebt, klinkt er vaak, hoe zal ik het zeggen iets denigrerends in door."

Ook die opmerking had Marc weggewuifd en als 'onzin' bestempeld. Maar dat was nog niet genoeg voor Iris geweest.

"Misschien is het doodgewoon jaloezie," was ze verder gegaan. "Terwijl in een van de meest trendy galeries in New York een

expositie van het werk van mijn moeder wordt geopend, komt de jouwe niet verder dan een beetje knikkeren op de golfbaan met de andere vrouwen-van..."
"Zo is het wel genoeg...Iris" had Marc geroepen terwijl hij de deur met een klap dicht smeet. Ondanks de dichte deur hoorde ze hem nog meer roepen... dat ze kon opzouten met die moeder van d'r, dat ze op haar leek, dat ze net zo kon zuigen en sarren, dat dat hele huwelijk... En op dat moment was Iris, zoals wel vaker het geval was wanneer een meningsverschil op ruzie uitliep, in huilen uitgebarsten en had als een kindvrouwtje gesnikt dat ze het allemaal niet meende, dat ze van hem hield, dat ze zijn moeder juist zo graag mocht... Daar hield Iris misschien wel het meeste van; van het weer goed maken, van zeggen dat ze het allemaal niet zo meende. En Marc speelde dat spel - nog - steeds mee...
"Weet je," zei zc "ik ga mijn vader eens bellen misschien vindt hij het gezellig als we het weekend langskomen in Broekerwaard. Hij zit daar per slot van rekening ook maar in zijn eentje met Boebie terwijl mijn moeder New York onveilig maakt."
"Prima" had hij gereageerd terwijl hij de afstandbediening in zijn hand nam, "maar dan ga ik nu wel even naar het voetballen kijken."

HOOFDSTUK 34

Ich weiss von nichts...

Misschien kwam het doordat ze 'ochtends weer eens zo'n beetje d'r ziel uit haar lijf had gebraakt, misschien kwam het door de woorden van Diepenveen, ze wist het niet, wel wist ze dat ze zich hondsberoerd voelde.
Het was niet verstandig, het gesprek met haar opleider indachtig zou dit zeker weer een minpunt opleveren, maar ze kon niet anders dan zich ziek melden.
"Ik zie het aan je", had de secretaresse van de afdeling opgemerkt toen ze haar liet weten dat ze naar huis ging omdat ze zich absoluut niet lekker voelde.
"Het heerst, de griep..." had ze eraan toegevoegd. "Op het secretariaat zijn er ook al twee zieken..."
"Gelukkig," vond Roos "geen moeilijke vragen."
"Kruip maar lekker onder de wol," had de secretaresse haar vervolgens bemoedigend toegesproken, "en niet te snel terugkomen maar eerst echt uitzieken hoor..."
"Doe ik," had ze quasi spontaan geantwoord. "Lekker uitzieken in Broekerwaard..."
"Zie je maar weer," had de secretaresse meelevend gereageerd, "dat ieder nadeel toch ook een voordeeltje heeft..."
Het was goed bedoeld, maar het sloeg allemaal nergens op. Er heerste geen griep, dat wist Roos ook, en mocht dat wel het geval zijn, zij had het in ieder geval niet. Maar wat ze wel had...?
Uitzieken in Broekerwaard...kom nou. Later zou het haar spijten,

dat ze dat niet gedaan had. Niet dat uitzieken, welnee dat sloeg inderdaad nergens op, maar wel dat ze niet gewoon naar hem toe was gegaan, naar haar vader... Dat zou ze zich blijven verwijten. Misschien dat dan...
Maar dat besefte ze nog niet, kon ze ook niet beseffen, toen ze over de parkeerplaats van het Zuiderstreekziekenhuis liep op weg naar haar auto.
Ze had geen sleutel van Patricks huis. Tenminste niet een eigen sleutel. Maar ze wist wel waar er een lag. Onder een loszittende steen, de vijfde van onderen. Als je het niet wist, zag je het niet. Maar zijn moeder, die elke week zijn schone was keurig gestreken kwam afleveren wist het wel, net als de werkster die een keer per week kwam en die ze overigens nog nooit had gezien en zij dan, Roos.
Ze had haar auto een eind verderop gezet. Bij hem voor de deur kon ze toch niet parkeren. Veel bagage had ze niet bij zich, een middelgrote tas, en een plastic zak met daarin het door Diepenveen aangeraden oefenmateriaal. Het woog niet veel maar nam wel veel ruimte in beslag.
Ze herinnerde zich vaag dat ze op weg van de parkeerplaats naar zijn huis een filiaal van de Etos moest tegenkomen. Nou ja, het kon ook een Kruidvat zijn... in ieder geval een grote drogist. Het was inderdaad, zo zag ze even later, de Etos.
"Het kon niet, het kon echt niet..." had ze zichzelf de hele tijd voorgehouden. Ze slikte de pil. Al jaren... Die ochtendmisselijkheid waarvan ze de laatste weken last had, had ze toegeschreven aan spanningen. Aan een andere mogelijkheid had ze - nog - niet gedacht. Of had ze al die tijd zichzelf voor de gek gehouden...?

Die ochtend vlak voor het gesprek met Diepenveen had ze voor het eerst vastgesteld dat haar broek knelde in de taille. Ze kon hem alleen nog met de grootste moeite dicht krijgen... Dat in combinatie met...
Nadat ze de clearblue had afgerekend liep ze verder richting zijn huis.
"Het kan niet, het kan niet..." herhaalde ze zichzelf als was het een mantra. Zelfs haar hoofd bewoog op het ritme van haar woorden mee.
Ze had de loszittende steen, zoals ze afgelopen maanden gewoon was geweest, verschoven om de sleutel te pakken die daar hoorde te liggen... Ze voelde nogmaals maar geen sleutel, en toen ze keek, zag ze er evenmin een. Ze deed een paar stappen naar achteren en probeerde om door het raam waar screens voorhingen, naar binnen te kijken. Ze zag niet veel maar wel genoeg: het waren de vage contouren van iemand die aan het stofzuigen was. Omdat er op haar eerste belpoging niet werd opengedaan, hield ze de bel bij de tweede ingedrukt. Ze had geen idee hoe lang, maar naar haar idee heel lang...
En toen werd de deur plotseling opengegooid en hoorde ze een vrouwenstem in onvervalst Amsterdams met een Marokkaanse tongval zeggen: "Ik schrik me rot, dacht dat de brandweer aan de deur stond..."
Roos keek op, zag een doekje, en staarde in een paar fluwelig glanzende ogen - gazelleogen was het even door haar heengegaan - die haar brutaal aankeken.
"Wat kan ik voor je doen...?"
Ze was met stomheid geslagen. Dit moest dus Fatima zijn. De

Marokkaanse werkster waarover Patrick het wel eens had gehad.
"Marokkaanse vrouwen mogen toch niet alleen met een man..."
iets dergelijks had ze gezegd.
"Wat weet jij daar nou van...?" was zijn korzelige reactie geweest.
En nu stond ze oog in oog met haar. In ieder geval had ze zich van Fatima een heel andere voorstelling gemaakt.

HOOFDSTUK 35

New York, New York...

De avond ervoor en die daarvóór hadden ze bij Pastis - cuisine traditionelle recommandée - gegeten. Een Disneyachtige kopie van een Parijse brasserie in het *booming* meatpacking district in Manhattan. Op een steenworp afstand gelegen van THE AMERICAN GALLERY. Arthur Bronstein was er dol op, op French food. *"I am fond of it..."* kon je hem geregeld horen roepen als hij even niets anders te zeggen had. Daarom at hij in Amsterdam ook geregeld bij Dauphine. Hadden ze een vergelijkbare kaart... *Oysters on the Half Shell, Half or Whole Roast Lobster with Garlic butter, Skate au beure Noire, Poasted Poussin Diable, Steak Frites with Béarnaise, Moules Frites au Pernod...*

Op de avond van de officiële opening van Cathriens eerste expositie in New York zouden ze na afloop met een select gezelschap gaan eten bij Lucien. Een Franse bistro, op de hoek van First Avenue en First street die hij had afgehuurd. Volgens Bronstein het beste Franse restaurant van de hele *village* . Hij had zijn gasten met zorg gekozen. Niet veel maar wel invloedrijk... Zo was er een kunstcriticus die hem wel vaker ter wille was geweest bij het op de kaart zetten van een artiest uit zijn stal... Hij schreef geregeld artikelen en kritieken over het werk van opkomende kunstenaars in toonaangevende art magazines. En The Lady from Holland was a very special artist ...lyrisch expressionisme... dat was het helemaal. Dat was hot. Hij had enkele journalisten uitgenodigd onder anderen van The New Yorker, The New York Magazine,

The Paris Review, een redactrice van VOGUE . En een h e e l goed vriendje van hem, deed iets belangrijks bij The Guggenheim Foundation had hij uiteraard ook gevraagd. Als het werk van een kunstenaar eenmaal in het museum was te zien, dan schoot de prijs ervan als een komeet omhoog...

"Small is beautiful," had hij tegen Cathrien gezegd, "maar denk groot..." En waarom ook niet? Hoewel hij er al die tijd min of meer van overtuigd was geweest, was hij er nu in bevestigd. Ook in New York, zo was al snel duidelijk geworden tijdens de opening van de expositie, de dagen ervoor - het publiek kon gewoon niet wachten - gingen de doeken van Cathrien als warme broodjes over de toonbank. Het was maar goed dat hij haar had gestimuleerd zoveel mogelijk te maken... Een voorraad aan te leggen: Bronstein was niet alleen kunstkenner en trendwatcher maar ook en vooral zakenman. Haar productie op zich was al een fenomeen. Wat anderen in een jaar maakten, deed zij in een week.
"Het is een momentum, *a window of opportunity*, zoals wij dat noemen, maak daar gebruik van," had hij haar voorgehouden.
"*Ad astra*" wilde ze. Hij zou een ster van haar maken... hij zou haar doeken weten te verkopen in Miami en LA, in Parijs, in Rome...
En terwijl in Lucien de kurken knalden en de champagne bruisend rondging, boog aan de andere kant van de oceaan, in Amsterdam-West op de grens van de Jordaan, Roos zich met naald en naaldvoerder over een stuk schuimrubber om steken te oefenen, mooie rondjes te maken. Leren hechten.
"Oefenen, oefenen," had Diepenveen gezegd.

"Het is een ambacht... Als je geen steken kunt zetten, kun je het wel vergeten..." Ze voelde hoe een traan langs haar gezicht gleed, en nog een, en nog een maar steken bleef ze zetten. Op een dag zou ze het leren...

"Wat zit je nou te janken...?" had Patrick tegen haar geroepen, "Wat is er met je aan de hand...? Toch niet weer zo'n hysterische toestand als met kerst..." Ze had ontkennend haar hoofd geschud. Nee, dat was het niet...om vervolgens iets te mompelen dat hij niet verstond. "Wat zeg je...?"

"Fatima, Fatima..." was het er zacht maar duidelijk hoorbaar uitgekomen.

"Oh is het dat," had hij laconiek gereageerd. "Ja" had ze gefluisterd.

Dat ze zwanger was had ze hem - nog niet - durven zeggen.

HOOFDSTUK 36

I had a dream which was not all a dream...

Misschien kwam het daardoor, nu Ferd ze niet meer zag, ze niet meer op het spreekuur kwamen, hij hen niet meer bezocht, hij reed overigens al jaren geen visite meer, dat hij vaker aan ze dacht. Aan zijn patiënten...
Aan hun verhalen waarvan hij dacht dat hij ze vergeten was...
Zoals bijvoorbeeld die van Marjon B.:
"Ik weet niet wat het is, maar ik heb al een dag of tien pijn in mijn rug, ik dacht het gaat wel over maar het gaat niet over, het begint hier, bij mijn schouderblad en trekt naar voren onder mijn borst, als ik ademhaal voel ik een druk, bij mijn werk is dat allesbehalve leuk. Doordat ik zittend werk doe en de hele dag voor een beeldscherm zit, neem ik een verkeerde houding aan. Ik heb het er weleens met mijn leidinggevende over gehad. Ik bedoel, ik ben niet de enige met dergelijke klachten op de afdeling. Toen ik haar vroeg of er niet eens een ergonoom kon laten komen, tja die zijn er toch voor, keek ze me aan of ze water zag branden..."
Of Tom L.: "Ik werk bij de gemeente, groenonderhoud. Dat werk is de laatste jaren steeds zwaarder geworden. Bezuinigingen, minder geld, minder mensen...maar het werk moet wel worden gedaan. Een paar dagen geleden ging ik na het schaften, doen we altijd op de gemeentewerf , naar de wc. Ik ging zitten, ik kon niet meer, als je de hele dag staat en dan ook nog eens gebogen. Een collega kwam me halen, toen ik hem uitlegde wat er met me aan de hand was, zei hij dat ik ander werk moet zien te krijgen als het

me te veel werd."
Of mevrouw v.D.: "Het begon een paar dagen geleden, ik zette een kastje opzij om de vloer te dweilen en op hetzelfde moment voelde ik een pijn die via mijn stuitje tot in mijn hielen naar beneden trok. Mijn man was er toevallig bij. Hij vond dat ik moest gaan liggen maar het hielp niet. 's Nachts kan ik niet slapen. Van mijn man moest ik slaaptabletten nemen, hij heeft namelijk nachtdienst, weet u, en overdag neemt hij ze ook omdat hij anders niet kan slapen, ik neem ze nu al drie nachten maar ik wil voorkomen dat ik niet meer zonder kan..."
Of Petra H.: "U weet dat ik niet kinderachtig ben maar als ik een beweging probeer te maken, roept mijn nek me tot de orde, ik moet zeggen dat ik ervan begin te balen het duurt al maanden. De fysiotherapeut heeft me buig- en strekoefeningen laten doen, daarna ging het even beter en nu ben ik weer terug bij af. Ik vraag me trouwens sowieso af of ik er wel goed aan heb gedaan naar hem toe te gaan. Het is dat de verzekering betaalt maar het heeft niks geholpen. Sterker, het doet zelfs meer pijn, er moet echt een oplossing komen."
Ferdinand Donkervoort (58) keek zijn kamer rond. Vijfentwintig jaar, vijf dagen per week, twee keer per dag met uitzondering van de laatste paar jaar, had hij hier spreekuur gehouden. Hij had getroost, moed in gesproken, oren uitgespoten, zeg eens A gezegd, naar longen en harten geluisterd, de bloeddruk opgenomen, bloed afgenomen, gewogen, gemeten... Hij liet zijn blik rusten op de schilderijen van Cathrien. Eigenlijk pasten ze hier niet. Niet meer tenminste. Daarvoor waren ze te levendig. Te vrolijk. Of was het nepvrolijkheid?

Eens in de zoveel tijd had ze dat...ging ze als een tornado door het huis. Moest alle troep opgeruimd worden of weg ermee. Rücksichtlos...dat had ze ook gehad vlak voor ze naar New York ging. Ondanks haar grote werkdrift, ze was bijna non-stop aan het schilderen geweest, was het alsof ze ook nog eens schoon schip wilde maken...
En toen was het tevoorschijn gekomen, dat ding wat nu in een hoek van de spreekkamer stond.
"Jij moet maar beslissen wat je daar mee doet..." Hij was het vergeten dat hij het nog had en zij waarschijnlijk ook.
Nu hij het weer zag herinnerde het hem aan zijn jeugd, aan zijn vader die op reeën en fazanten had gejaagd, aan bevroren stoppelvelden in de winter, aan Toine van der Heijden die alweer zo lang dood was en aan meneer Van V. die vriendelijke, oude baas dic op zijn laatste afspraak niet was komen opdagen. Weduwnaar was hij geweest. Dat was erg, maar dit was erger. En hij dacht aan wat hij wel wist maar zijn patiënten nooit zei: dat het leven een ziekte was, met een infauste afloop.

HOOFDSTUK 37

Requiem aeternam...

“Waarom, waarom... heeft hij dat zichzelf aangedaan, waarom doet hij ons dat aan,” had Iris snikkend in de telefoon gefluisterd toen ze Roos in het holst van de nacht had gebeld.
“Ik weet het niet, ik weet ‘t niet...” had ze gezegd “maar ik kom naar huis, ik had al veel eerder naar huis moeten gaan...”
“Je bent er zo...?” had Iris hoopvol door haar tranen heen gevraagd.
“Een half uurtje,” had ze geantwoord.
“Zo lang...maar je woont praktisch naast de deur,” had het met nauwelijks verholen paniek geklonken.
“Ik ben er zo,” had Roos weer quasi geruststellend gezegd.
Ze herinnerde zich weer hoe ze behoedzaam de dekens had weggeschoven om zich vervolgens zachtjes, heel zachtjes - ze wilde Patrick niet wakker maken -uit bed te laten glijden. Hij bleef slapen. Als een blok. Voorlopig zou hij blijven slapen... Dat deed hij altijd als ze seks hadden gehad.
Ze had zich merkwaardig koel en helder gevoeld. Had ze het niet al die tijd voorvoeld, geweten?
“Papa is dood...” had Iris geroepen, “papa is dood.”
Het was wel tot haar doorgedrongen maar ook weer niet. Gewoon blijven, gewoon blijven doen... een simpel zinnetje van drie woorden, een wereld van verschil; papa is dood...
Op de tast was Roos die nacht na dat telefoontje van Iris naar de deur van de slaapkamer geslopen en had hem heel voorzich-

tig opengedaan. Aan zijn rustige, regelmatige ademhaling had ze gehoord dat Patrick nog steeds in diepe slaap was. Gelukkig, dat had het er alleen maar makkelijker opgemaakt. Ze had een briefje achtergelaten - adieu Patrick- om verververvolgens als een dief in de nacht zijn huis te verlaten met meename van een middelgrote tas en een plastic zak met een stuk schuimrubber.

De uitvaart van dokter Ferdinand Donkervoort was zoals dat heet, een sobere maar indrukwekkende plechtigheid geweest. Hoewel hij 'niets' meer met het katholieke geloof van doen had gehad, werd er toch een mis aan hem op gedragen in de St. Petruskerk in Broekerwaard. Dat was de wens van zijn weduwe geweest. Ze had een hoed met voile gedragen, net als twee van haar dochters. En alle vier, ook Roos, weliswaar zonder hoed, hadden er bedroefd en mooi uitgezien. Ze oogden haast een plaatje. En Cathrien het meest...
"Wat een drama voor haar..." had de een gevonden en de ander had het beaamd. "Is ze net met haar werk internationaal doorgebroken en gebeurt er dit...alsof het niet èn èn mag zijn maar altijd óf óf moet wezen..." had Tilly Jansen gevonden die op haar beurt ook een hoed droeg.
"Sst," had haar man haar gemaand. Maar daar leek Til zich weinig van aan te trekken. "Een tijdje terug hebben we nog een doek van haar gekocht," liet ze terloops weten aan de vrouw die naast haar zat en een lavagrijs deux pièces droeg.
"Sst...hou toch eens je mond," had haar man haar opnieuw tot zwijgen proberen te brengen.
Til zei even niets meer, de buurvrouw daarentegen des te meer.

“Het moet toch verschrikkelijk zijn als je in New York zit en dan te horen krijgen dat je man zich een kogel door het hoofd heeft gejaagd...”
“Is dat zo...?” had Til geschokt gereageerd.
“Roddel...” hoorde ze haar echtgenoot met ingehouden woede mompelen. “Achterklap”.
“Peet...wist jij?” en hij had een vernietigende blik geworpen op de vrouw in het lavagrijs.
De kerk was tot de laatste plaats toe bezet geweest. Patiënten, oud-patiënten, vrienden, familie, een groot aantal collegae die de Van Donkervoorts tijdens de OverIJSE DAGEN hadden leren kennen, een afvaardiging van de Rotary, Joost Ottenvanger...allemaal waren ze er.
De pastoor, monseigneur Meulemans, herdacht in warme bewoordingen het leven van zijn parochiaan die door zo’n tragisch ongeluk om het leven was gekomen.
“Zie je wel” leek Peet Janssen zijn blik te willen zeggen terwijl hij zijn vrouw veelbetekenend aankeek en deed of hij de vrouw in het lava niet zag.
Bij het schoonmaken was het jachtgeweer van Ferd, een meer dan vijfentwintig jaar oud exemplaar dat hij nooit meer had gebruikt, zo had de pastoor verteld, onverwacht afgegaan. Terwijl hij ervan overtuigd geweest moest zijn dat het wapen leeg was, bleek er nog één kogel in te hebben gezeten en had het noodlot genadeloos toegeslagen: die ene, vergeten kogel had hem dodelijk verwond...
De pastoor haalde aan hoe Fred door de jaren heen als huisarts voor veel parochianen en voor nóg meer Broekerwaarders, niet iedereen ging helaas meer, en dat was zacht uitgedrukt, ter kerke

in Broekerwaard - een rots in de branding was geweest... Een kleine dokter met een groot hart noemde de pastoor hem. Een cliché was het, maar wel waar, vond Roos en voelde hoe een traan langs haar wang liep, en nog een. Nee, niet huilen, niet hier...

Even later had het Kyrie eleison geklonken. Een uitgelezen moment voor Til, want Peet kon haar daardoor niet horen, toen ze zich opnieuw naar haar buurvrouw boog om te vragen of ze meende wat ze eerder had gezegd : "Heeft hij zich echt van kant gemaakt..?"

The mind of a woman is a dangerous thing

EPILOOG

Sail away, sail away

Het was een mooie en zonnige middag, ergens half april. Voor wie, zoals Gunther Weber van de Middellandse Zee houdt, van de Turkse kust en de Griekse eilanden in het bijzonder hèt mooiste jaargetij. Nog niet te warm, zoals in juli, augustus en vaak ook nog in september wanneer de zon onbarmhartig brandt... maar aangenaam en met een verkoelende bries die de geur van wilde bloemenhoning, tijm en laurier met zich meevoert.

Gunther, rijk geworden aan de nog steeds groeiende verkoop van kunstgras - de inwoners van de Golfstaten en de sheiks uit Saoedie Arabië vormden zijn belangrijkste klantenkring - kon de hele wereld afreizen, alle steden bezoeken en uitsluitend in vijfsterrenhotels verblijven maar het voorjaar bracht hij het liefst op zijn jacht door. Ergens in de Middellandse Zee. Overigens had hij steeds vaker het gevoel dat hij eigenlijk niet een paar maanden maar het liefst het hele jaar op zijn schip zou doorbrengen. Ondanks zijn riante appartement in Berlijn en zijn luxueuze villa in München.

Zijn zestig meter tellende schip 'Der blaue Engel', thuishaven Hamburg, lag die middag afgemeerd in Antalya.

Een mooi moment van de dag, vond Gunther iedere keer weer, die paar uur vóór vertrek. Het *va et vient* aan de kade, de auto's die af en aan reden om het schip te bevoorraden. Pallets met wijn,

kisten met groente en fruit, diepgevroren vlees en vis die aan boord werden geladen. Hij mocht daar graag naar kijken. Daarnaar èn naar de gasten die hij hoogstpersoonlijk had gevraagd om twee weken op zijn schip door te brengen. Ze kwamen aan in niet 'zomaar' een taxi, maar in een limo of een Bentley of een vergelijkbaar voertuig.
Hoewel ze Gunther vaak - nog - niet zagen als hij zich verdekt aan de reling had opgesteld, wisten ze zich wel gadegeslagen door hem... En de een wilde niet onder doen voor de ander. Een tiental gasten had Gunther uitgenodigd. Lieden van diverse pluimage. Mannen en vrouwen, er zaten geslaagde zakenlui tussen (succes was voor Gunther een voorwaarde om zijn gast te mogen zijn) , een wetenschapper, een bekend fotomodel, een schrijver en een kunstenaar... Nou ja, *Künstlerin.* In het Duits is men, zoals in Nederland helaas wèl het geval is, nog niet taalverhullend bezig als het om de aanduiding van de sekse gaat.
Om preciezer te zijn "*Eine Mahlerin...*" Cathrien Donkervoort heette ze.
Als Gunther niet op het water zat of skiede in de bergen rond München, bezocht hij graag galeries, zo had hij Cathrien 'toevallig' ontdekt bij de opening van haar eerste expositie in New York, inmiddels een jaar geleden. Hij was onmiddelijk diep onder de indruk van haar werk geweest. En had daaraan gevolg gegeven door maar gelijk zeven doeken van haar te kopen... Hij was verheugd te horen dat ze niet uit Amerika kwam maar uit Europa en in Nederland woonde nota bene. "*Um die Ecke...*" had hij gezegd. Een paar maanden na die eerste ontmoeting had hij weer contact met haar opgenomen. Hij wilde meer doeken van haar kopen.

Voor zichzelf en voor enkele belangrijke relaties... in het Midden-Oosten. Het ging niet om de prijs, maar het liefst kocht hij ze direct bij haar, buiten de galerie om. Hij bezocht haar thuis, ze woonde in een klein dorp in Noord Holland.
Zo'n Noord-Hollands dorp dat met zijn neo-gotische katholieke kerk en een Nederlands Hervormd gebedshuis, een pleintje met wat terrasjes, een winkelstraat waar niet alleen De Keurslager maar ook de gevels van Blokker en de Etos in stijl waren aangepast misschien wel gezellig was, maar dat tegelijkertijd ook iets benauwends had, vond hij. Dat vond zij ook want het huis stond te koop.
Een riante villa in boerderijstijl met groot atelier op het noorden, royale praktijk-kantoorruimte met eigen opgang, een lommerrijke siertuin van 2000 m², ...
Ze had hem verteld dat ze sinds de dood van haar man, hij was een paar maanden eerder overleden, niets meer te zoeken had in Broekerwaard. Ze wilde er weg, hoe eerder, hoe beter...
Hij had haar ook het een en ander over zichzelf verteld. En natuurlijk over 'Der blaue Engel'. Elk jaar, rond april, voer hij met zijn schip op de Middellandse Zee en had hij er de gewoonte van gemaakt om tijdens zo'n cruise zich te laten vergezellen door een aantal bijzondere gasten.
Ze was vereerd geweest, had ze hem gezegd, toen hij haar een maand of wat geleden had uitgenodigd voor deze reis. Een reis die deze keer niet alleen langs bestemmingen in de Middellandse Zee zou voeren maar ook de Zwarte Zee zou aan doen. Het legendarische Odessa, Jalta waar de Romanovs zo graag verbleven in hun zomerpaleis...

Het idee alleen al, had ze hem toevertrouwd om er twee weken eens helemaal uit te zijn was een wenkend perspectief geweest. Na het overlijden van haar echtgenoot, en de periode daarvoor ook al, had ze eigenlijk alleen maar gewerkt, en nogmaals gewerkt. Een moordende productie had ze, dat kun je niet aan één stuk door blijven volhouden...Ze had hem bekend doodmoe te zijn. En niet alleen door haar werk...Het was had ze hem verteld een hectisch jaar geweest... En niet alleen hectisch maar in sommige opzichten was het ook een annus horribilis geweest.
En nu keek hij naar haar terwijl ze daar lag, ze was als eerste aangekomen, op een van de hardhouten ligbedden op de achterplecht van 'Der blaue Engel'. Cathrien zag hem niet want ondanks de grote zonnebril die ze droeg - een Prada - had ze haar ogen dicht.

Terwijl ze zich koesterde in de nog milde Turkse zon, liet ze het afgelopen jaar aan haar geestesoog voorbijtrekken.
Het was allemaal zo snel gegaan...
Het huwelijk van Iris en Marc was toch op de afgesproken datum voltrokken.
"Kan dat eigenlijk wel mam, zo kort na de dood van papa," hadden alle drie haar dochters hun twijfels geuit.
"Waarom niet...?" had ze hun eventuele bezwaren weggewuifd.
"Jullie vader zou het ook zo gewild hebben," had ze hen weten te overtuigen.
"Maar iets bescheidener van opzet," had Roos geopperd "zou misschien toch wat passender zijn. Geen feest maar wel een receptie, geen band maar wel een strijkje..."
"Het is het huwelijk van Iris, niet van jou Roos," had Cathrien

haar middelste dochter terecht gewezen. "Bovendien krijg je je vader er niet mee terug..."
Vijf dagen na de begrafenis van Ferd was ze samen met Iris naar Antwerpen afgereisd om een bruidsjurk uit te zoeken.
"Hoe kun je...?" had Roos haar verweten. Roos maakte het haar moeilijk. Steeds moeilijker. In alle opzichten. Nee, van haar werk, dat zei ze maar om moeilijke vragen voor te zijn, was ze niet moe. Integendeel. Maar wel van Roos. Kort na de dood van Ferd, terwijl ze in de serre thee zaten te drinken en Cathrien alle mogelijke moeite deed het onderwerp Ferd te vermijden, had ze haar doodleuk meegedeeld zwanger te zijn.
"Zwanger ..." had Cathrien geschokt gereageerd.
"Ja. Niet een beetje maar echt zwanger..." had Roos nuchter gereageerd.
"Maar ik wist niet eens dat je een relatie hebt..." was Cathrien verder gegaan. Waarop het onthutsende antwoord van Roos was geweest dat ze die ook niet had. Althans niet meer. En dat ze er ook verder niets over wilde zeggen. Dat was haar leven.
Het was natuurlijk stom van d'r, en dat voor een dochter van haar, maar het kwam vaker voor, ondanks alle anticonceptiva, dat vrouwen ongewenst zwanger raakten. Zelfs als ze hoogopgeleid en wereldwijs waren. Ze had het ook in de praktijk van Ferd gezien.
"Onbegrijpelijk," had ze het gevonden. En dan haalde Ferd zijn schouders op om te roepen dat zulke dingen nu eenmaal gebeuren. Wat Ferd dan tegen zijn patiënten zei, had Cathrien ook tegen Roos gezegd: dat ze natuurlijk ook kon kiezen voor abortus. Dat was eigenlijk de enige oplossing. Wat moest ze met een kind,

geen partner had ze, en dan haar opleiding die kon ze anders wel vergeten. Vijftien weken zwanger was ze. Nu kon het nog. Maar daar had daar Roos niets van willen weten...

"Cathy", ze hoorde haar naam op zijn Duits, "zal ik je iets laten inschenken? "*Gerne*," had ze geantwoord. Gunther was zo attent. Even later werd haar door een van de bemanningsleden, in een mooi hagelwit uniform, *ein trockener Weisswein* gebracht.
Nog even soezen in de zon, besloot Cathrien met het glas in haar hand, nog een half uurtje...dan zou ze naar haar hut gegaan, zich omkleden en weer aan dek komen om kennis te maken met de andere gasten. De trossen zouden worden losgegooid en terwijl het *Sail away, sail away* klonk zou 'Der Blaue Engel' koers zetten naar de haven van Izmir, de eerste bestemming op deze reis.

Maar nu nog even terug... terug in de tijd. Roos...in juli vorig jaar werd de baby geboren.
Het was een jongetje dat de moeder naar zijn grootvader vernoemde: Ferdinand.
Het kind, haar eerste kleinkind zei Cathrien weinig. Voor haar was hij vooral de vlees geworden teleurstelling. Voor dat kind dat in zijn wieg lag te krijsen had Roos de kans op een goudgerande carrière opgegeven.
Toen Cathrien zich over zijn wieg had gebogen, had ze er niets bekends of vertrouwds in gezien. Hij was zo groot...bij zijn geboorte had hij bijna negen pond gewogen.
Toen hij een baby van drie maanden was waren zijn voeten en handen buiten proporties... vond ze.

"Hij heeft nu al een paar kolenschoppen," had Cathrien zich laten ontvallen, om er in één moeite aan toe te voegen of hij misschien op z'n vader leek... Net een bouwvakker. Dat had ze niet moeten zeggen. Dat was niet aardig. Sterker: het was gemeen. En dat zei Roos haar ook. En nog veel meer... hoe gemeen ze was geweest, wat wist Roos er nou helemaal van, tegen haar vader, tegen Ferd... Dat ze hem niet meer hoefde toen ze eenmaal de smaak van het succes had geproefd. Ze had hem laten stikken. Hogerop wilde ze, nog hoger en daarbij had ze hem niet kunnen gebruiken... een afgekeurde dorpsarts met een depressie op wie ze al jaren geleden uitgekeken was.

Ze had Cathrien van van alles beschuldigd...ook van het allerergste: "Je hebt mijn vader vermoord..." had ze gezegd.

"Hij heeft dan misschien zelf de trekker overgehaald maar jij hebt hem willens en wetens op die gedachte gebracht. Jij hebt dat jachtgeweer, een geweer dat al jaren uit beeld en vergeten was, in de spreekkamer gezet. Met opzet. Doelbewust. Voor hem, een depressieve man die zichzelf het etiket 'loser' had opgeplakt was de boodschap duidelijk. Hij was overbodig, zat je in de weg, hij heeft het voor jou gedaan...

"Roos, meisje toch...ik weet dat het verlies van papa je heel veel verdriet heeft gedaan maar één ding: hij heeft zichzelf niet van het leven beroofd. Het was een ongeluk, een tragisch ongeluk... het technisch onderzoek heeft dat ook uitgewezen. Een ongeluk.

Maar soms, bedacht Cathrien zich, terwijl ze opstond van het hardhouten ligbed, moet je het lot een handje helpen.

Wat was daar nu op tegen...?